국내 대학원 유학생을 위한
논문쓰기 핸드북

유학(留學)의 의미와 본질

목 차

들어가며: 이 교재를 집필한 이유

필자는 미국에서 석사, 박사를 마치고 국내로 복귀해서 한 사립대학교에서 대학원 유학생들을 지도하고 있다. 국내 대학원 유학생들을 지도하면서 연구계획서와 연구 발표를 학기마다 진행하고 있다. 복잡한 도표와 그림으로 발표를 마친 한 명의 학생에게 필자 역시 이쪽 분야에 관심이 있다고 말하면서, 이론적 배경이 무엇인지 질문을 하였다. 놀랍게도 그 학생은 본인의 학위논문의 정확한 이론적 배경을 모르고 있었다. 그 학생뿐만 아니라 다수의 대학원 유학생들이 빨리 졸업하기 위해서 석·박사 학위 논문을 쉽게 접근하고, 졸업장 및 학위취득에만 관심이 있다는 것을 알게 되었다. 필자는 대학원 유학생들이 이론적 배경이 제대로 갖춰지지 않은 학위논문을 진행한다는 사실에 매우 놀랐고 더불어 이론적 배경과 선행연구 정리를 제대로 구분하지 못한다는 사실에 다시 한번 충격을 받았다.

국내 대학들이 감소하는 학부 신입생의 숫자를 보충하기 위해 해외 유학생들을 적극적으로 유치하고 있다. 특히 국내로 석사, 박사학위를 취득하기 위하여 많은 대학원 유학생들이 입국하고 있는데, 과연 한국 대학의 교수자인 필자는 대학원 유학생들을 제대로 교육하고 있는가에 대한 심각한 자기성찰과 반성을 해야 할 시점이라고 생각했다.

올바른 연구 단계를 거치지 않고, 쉽게 2년 안에 또는 2년 반 만에 졸업해야 한다고 말하는 국내 대학원 유학생들을 보면서, 미국에서 박사학위를 4년 만에 졸업하고 국내로 다시 돌아온 필자는 이게 과연 가능한 일인가 계속 생각하게 되었다. 이러한 이유로 논문의 올바른 방향성과 연구단계 및 학위논문 쓰기 및 지도에 대해서 깊게 고민을 하였고, 이 교재(핸드북)를 집필하게 된 계기가 되었다.

본 교재는 다음과 같은 목적 달성을 위하여 구성되었다.

▶ 대학원 유학생들의 잘못된 연구문화와 연구 관행을 바꾸기

▶ 대학원 유학생들에게 올바른 연구 단계와 방향성을 제시

▶ 학위논문에서 이론적 배경의 중요성을 강조

▶ 이론적 배경과 선행연구는 서로 다른 개념이라는 것을 강조

▶ 연구'방법론'은 테크닉 일뿐, 학위 논문 연구의 본질이 될 수 없다는 사실을 강조

▶ 유학의 진정한 의미와 본질에 대해서 성찰

▶ 앞으로 대학원 유학생을 올바르게 지도하기

2021년 8월
연구실에서
이용직

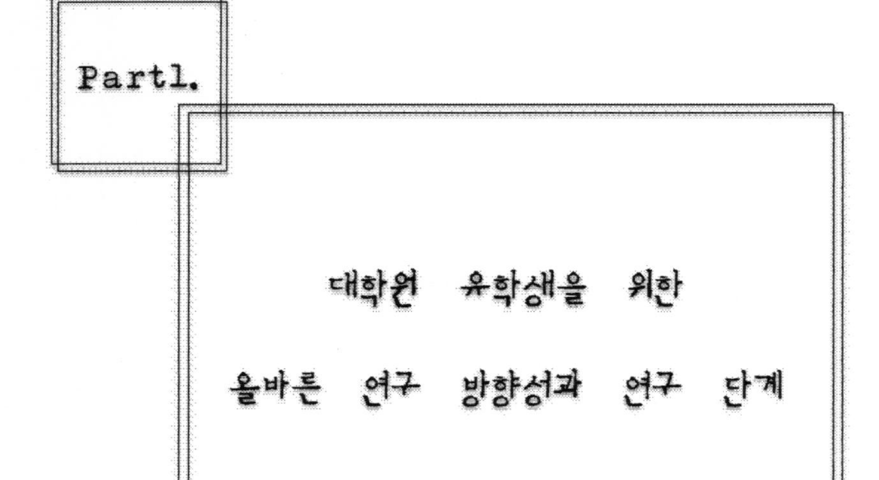

Part1.

대학원 유학생을 위한 올바른 연구 방향성과 연구 단계

1장 연구를 시작하기 전 생각해 볼 문제

1. 연구자의 경우 (교육학의 예시)

ㅇ 나의 연구목적은 무엇인가?

ㅇ 학위논문의 정의와 본질은 무엇인가?

ㅇ 나는 무엇을 위해 학위논문을 쓰는가?

ㅇ 나는 누구를 위해 학위논문을 쓰는가?

ㅇ 나는 학위논문을 왜 쓰는가?

ㅇ 나는 무슨 교육적 문제를 해결하기 위해서 연구를 시작하는가?

ㅇ 내가 쓰는 학위논문의 교육적 효과(학문적 기여도 및 학교현장에의 실제적 기여도)는 무엇인가?

ㅇ 연구를 통해서 내가 밝혀내고자 하는 것은 무엇인가?

위의 질문들에 대해서 본인이 스스로 답할 수 있어야 연구의 본질에 부합하는 이론적 배경 및 연구방법론을 정하여 전개할 수 있다.

2. 잘못된 연구 단계를 거친 논문의 예시

대학원 유학생 본인이 아래와 같은 방식으로 학위논문을 작성했다면 본 교재를 읽고 나서 다시 한번 생각해서 수정하길 바란다.

가. 변수, 변인(variable) 간의 관계만 측정하고 이론 없이 학위논문이 진행된 경우

나. 변수, 변인(variable) 간의 관계를 이론적 배경 없이 뒤섞다 보니 함께 존재 할 수 없는 이론들이 막 뒤죽박죽 섞여버린 학위논문

다. 이론적 배경을 나중에 뒤늦게 끼워 맞춰서 실제 그 이론적 배경을 연구결과 부분에 적용해서 바르게 설명하지 않는 학위논문

라. 이론적 배경과 선행연구 정리를 제대로 구분하지 못한 학위논문

마. 실증연구의 연구결과를 구체적인 연구 문맥과 연구대상자에 따라서 제대로 정리하거나 구성되지 않는 학위논문

바. 결론 및 논의 부분에 비판적 사고, 통찰력 등이 부족한 학위논문

사. 연구방법을 테크닉적으로 접근하다 보니 연구의 본질을 놓친 연구

아. 본인 연구의 독창성에 대해서 제대로 설명하지 못한 학위논문, 즉 기존에 진행되었던 것만 반복함으로써 새로운 연구결과 도출이 없는 학위논문

자. 내용(콘텐츠)에는 새로운 내용이 없고, 연구방법 테크닉을 활용한 방법적인 부분만 강조한 학위논문

2장 바람직한 연구 단계와 방향성 설정

국내 대학원 유학생을 위한 논문작성에 있어 바람직한 연구 단계를 중요하게 강조하는 이유는, 잘못된 연구 방향성과 단계를 선택했을 경우, 반드시 진행되어야 하는 기본적인 연구 단계를 거치지 않고 쉽게 학위논문 작성에 접근한다는 점이다.

1. 학위논문의 연구를 시작할 때는 다음과 같은 단계를 반드시 거쳐야 한다.

가. 본인 전공 분야에 발생한 사회적 또는 교육적 이슈나 문제를 발견
나. 연구주제와 목적을 먼저 명확히 설정
다. 주제에 관한 선행연구를 읽고 본인만의 전문영역 설정
라. 주제에 적용되는 이론을 찾아보고 이해
마. 그 분야에 관한 선행연구 정리를 논문의 1장, 2장을 통해 작성
바. 그 주제에 알맞은 연구방법을 찾아서 적용
사. 적절한 연구방법을 사용하여 데이터를 수집하고 분석

이러한 연구의 절차와 순서를 명확히 거치지 않고 몇몇 대학원 유학생들이 기초적으로 진행되어야 하는 연구순서와 단계를 생략한 채로 학위논문을 작성하고 있다. 더불어 대학원 유학생들이 연구 '방법론'의 테크닉적인 부분을 가지고 본인의 주제에 억지로 변수, 변인(variable)을 끼워 맞춰서 연구를 진행하고 있는 것을 많이 볼 수 있다.

선행연구를 살펴볼 때, 서론 뒤에 명확한 이론을 제시하고 그 이론에 기본 바탕을 두고서 변인을 측정하고 설명한 질(Quality)높은 선행연구를 찾아봐야 한다.

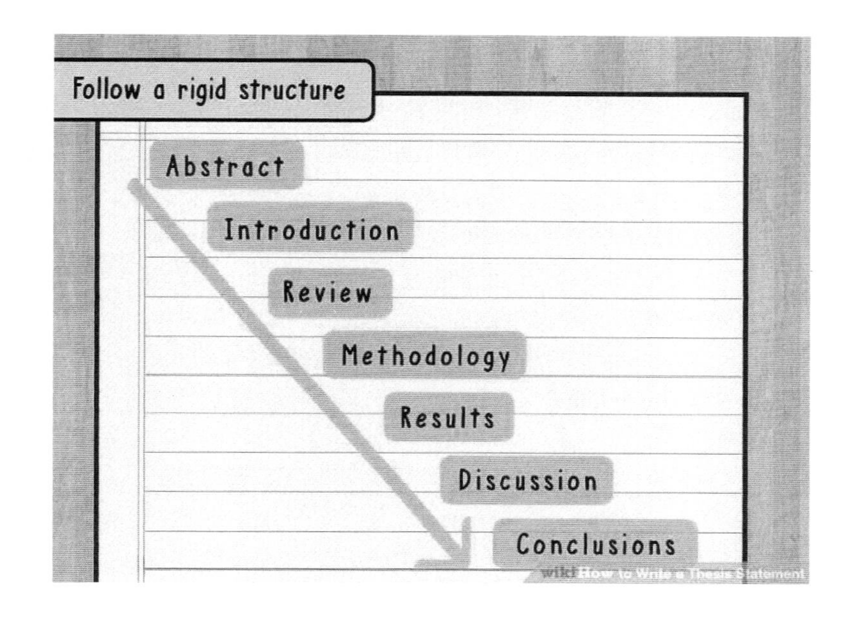

[그림1] Follow a rigid structure[1)]

만약 변수, 변인(variable)에 관한 선행연구만 찾았을 경우, 구체적으로 그 변인들이 실제 교육현장에 적용되어서 어떤 문맥과 특정한 연구대상자를 상대로 교육적 효과를 보여줬는지에 대한 제대로 된 선행연구 정리가 안 되었을 가능성이 매우 크다. 위 [그림1]을 참조해서 올바른 연구단계의 순서를 거쳐서 연구를 진행해야 될 필요성이 있다.

1) https://www.wikihow.com/Write-a-Thesis-Statement#/Image:Write-a-Thesis-Statement-Step-13.jpg

2. 바람직하지 못한 학위논문의 예시

1장 서론

- 본인의 연구목적과 주제가 분명하게 드러나지 않는 논문

2장 선행연구

- 이론적 배경이라고 적었는데 실제 이론은 빠져있는 경우
- 이론적 배경과 선행연구정리가 서로 구분이 되지 않는 경우
- 선행연구 정리에서 변인(variable) 간의 관계만 생각한 나머지 그 변인이 어떻게 구체적인 연구 목적에 적용되어서 연구결과가 도출되었는지 체계적으로 정리가 안 된 경우

3장 연구방법론

- 구체적인 연구 목적과 연구대상이 명시되지 않는 논문

4장 연구결과

- 연구자 본인의 분석 틀(예: 연구문제)에 맞게 체계적으로 연구결과 제시가 조직되지 못한 논문

5장 논의

- 2장에서의 이론적 배경이 본인 연구결과에 어떻게 적용되고 어떻게 새롭게 해석되는지 명확히 기술되지 않는 경우
- 2장의 선행연구 결과와 일치, 불일치를 설명하면서 구체적으로 본인 연구만의 가치를 깊이있게 토론하고 설명하지 못한 경우

6장 결론 및 제안

- 연구결과를 통한 분명한 교육적 효과나 미래의 새로운 연구방향성에 대한 제안이 없는 경우

위의 예시와 같이 잘못된 연구 단계와 방향성을 거치면 학위논문의 결론 및 논의 부분에서 선행연구와 일치하는 점은 기술할 수 있지만, 선행연구와 불일치 하는 점은 왜 그런지 설명이 제대로 되지 않는 경우를 발견할 수 있다.

더불어 결론 및 제안 부분에서 본인 연구만의 새로운 독창성에 대한 부분이 부족할 수밖에 없는데 그 이유는 남들이 했던 과거 연구를 반복적으로 확인하는 연구이기 때문에 그럴 가능성이 크다. 결국, 이러한 논문은 글을 읽는 독자에게 호기심을 불러일으킬 수 없다.

3. 위에서 설명한 잘못된 연구 방향성을 바꾸기 위해서 아래와 같은 연구단계를 제안한다.

연구 단계 제안점	1) 핵심키워드를 정하여 구체적 전문분야 논문 읽을 것 2) 본인의 전문 분야 확정, 연구주제와 목적 확정할 것 3) 본인 학위논문 키워드에 관한 선행연구를 본인이 실제 글로 정리해서 완성할 것 4) 논문의 1장과 2장을 먼저 완성할 것 5) 1장과 2장 완성 이후에 실제 자료 수집을 시작할 것 6) 데이터 분석할 것 7) 학위논문 쓰기 완성할 것

위 단계나 순서를 명확히 따라서 학위 논문의 연구를 진행할 것을 제안한다. 특히, 선행연구 정리를 제대로 된 글로 적지 않는 상태에서 쉽게 자료를 수집하면 안 된다는 점을 강조하고 싶다. 그 분야의 논문을 몇 편 읽어본다고 해서 본인의 전문분야가 되지 않는다. 실제 글로 써보기 전에는 그 분야에 대해서 정확히 이해하고 정리했다고 말하기 힘들다.

대학원 유학생의 경우 제2언어로 글을 쓰면, 본인의 생각을 100% 표현하는 것이 쉽지 않다. 결국, 유학생은 제2언어로 글을 써보기 전까지는 머릿속의 내용이 구체적으로 정리되었다고 보기 힘들다. 반드시 선행연구를 읽고 이를 바탕으로 실제로 글을 쓰는 습관을 형성하기 바란다.

4. 한 분야에 대한 이론적 배경과 선행연구 정리의 예시

Chapter 2. Literature review 가. 이론적 배경 → Theoretical framework or background 나. 핵심 키워드 제시 다. 핵심 키워드와 변인간의 관계 탐구 라. 체적 연구문맥과 상황에 적용된 실증연구 결과 정리 마. 구체적인 연구대상으로 적용된 실증연구 결과 정리 바. 선행연구 정리를 통한 본인만의 독창적인 연구 분석 틀 제시 → Conceptual framework

영어로 글을 쓴다면, Literature review라고 2장의 전체 제목을 설정하고 그다음 이론적 배경을 Theoretical framework or background 쓰는 것이 올바른 순서이다. 2장의 마지막에는 선행연구를 통한 본인만의 독창적인 연구 분석 틀(Conceptual framework)을 제시해야 한다.

2) http://study-aids.co.uk/dissertation-blog/what-is-a-literature-review/

Literature Review Structure

- ✓Introduction
- ✓Theoretical Framework
- ✓Subsections Based on Research Questions or Objectives
- ✓Conceptual Framework
- ✓Summary

[그림2] Literature Review Structure[2)]

위 [그림2]는 2장 선행연구의 전체적인 구조와 틀을 제시한 그림이다. 영어로 학위논문을 작성하는 국내 대학원 유학생은 참고해서 실증연구 정리를 구체적이고 자세하게 기술해서 독자의 흥미를 불러일으킬 수 있는 학위논문을 작성하길 바란다.

5. 질(Quality)높은 논문이란?

1장 서론

- 본인의 연구목적과 주제를 논리적으로 명확하게 표현한 서론
- 연구의 필요성이 사회 및 교육적 문제해결 방식으로 제시된 글

2장 선행연구 (이론적 배경 포함)

- 이론적 배경의 설명이 명확함
- 이론적 배경과 논문 핵심주제의 관계가 정확히 표현됨
- 실제 측정하고자 하는 문맥과 구체적인 대상자에 변인을 적용한 실증연구 결과가 명확히 정리된 글

3장 연구방법론

- 연구방법론이 명확히 표현되어 가독성이 높은 글
- 연구 문맥, 연구대상자, 데이터수집, 데이터 분석 등에 대한 자세한 묘사가 서술된 글

4장 연구결과

- 연구결과를 설명할 때 본인만의 분석틀을 바탕으로 결과제시가 조직적으로 구성된 글

5장 결론 및 논의

- 2장의 이론적 배경이 본인 연구결과에 따라서 명확히 적용된 글
- 실증적 선행연구의 결과가 본인 연구결과와 일치하는지 불일치하는지 명확히 정리된 글
- 기존의 선행연구에서 진행되지 않는 본인 연구만의 독창성이 표현된 글

6. 실험연구를 할 때 연구자의 윤리성
(미국 IRB 과정 예시: Institutional Review Board[3])

필자가 미국에서 박사를 마치고 국내에 돌아와 연구과정에서 의아하게 느낀 점은 IRB 과정 없이 데이터를 수집하고 진행할 수 있다는 사실이었다. IRB 과정을 생략하게 되면 데이터를 손쉽게 수집하고 학생들의 구두 동의만 있으면 빠르게 연구가 진행되는 장점이 있다. 하지만, 연구 설계를 할 때 깊은 사고를 하면서 연구를 진행할 수 없게 되고, 더 큰 문제는 대학원 유학생들이 스스로 연구 준비가 되지 않는 상태에서 성급하게 데이터를 수집해서 연구를 진행한다는 문제점이 있다.

미국 대학에서는 IRB 과정을 거치지 않고 수집한 데이터는 전부 다 무효처리되고, 그리고 IRB 문서에 명시되지 않는 데이터를 수집했을 경우, 그 데이터는 학술적 목적으로 사용할 수 없다. 더불어 명확히 명시된 IRB 동의서에 제시된 데이터 수집기간에 있는 데이터만 사용해야 한다는 연구자의 윤리성과 양심에 대해서 많은 교육을 진행하고 있다.

국내 대학원 유학생들을 가르치면서 매우 놀랐던 부분은, 학생들이 본인의 논문 1장과 2장을 제대로 된 글로 정리하지 않는 상태에서 바로 데이터를 수집하러 들어가는 부분이다. 그리고 많은 유학생이 실험 연구를 진행하면서, 실험군과 대조군으로 진행하는데, 여기에서 가장 큰 문제는 실험 대상자들이 실험용 쥐가 될 가능성이 큰 것이다. 다음의 예시를 통해서 더 구체적으로 설명하고자 한다.

---

3) http://irb.ufl.edu/

예시1

연구자가 한 명의 교수자를 중심으로 언어 교수법에 따른 언어교육 효과를 연구주제로 한다. 의사소통중심 방법과 문법중심 방법, 두 가지를 비교 대조하려고 한다.

의사소통 중심법 vs 문법중심 교수법으로 실험 비교를 하면 문법 중심에 들어가 있는 학생들은 의사소통중심 방법을 제대로 배우거나 경험하지 못한 채 졸업하게 된다. 문법중심에 들어있는 학생들의 교육적 결핍이나 부족에 대해서 교수자와 연구자는 어떻게 조처했는가?

예시2

한 교수자를 중심으로 교사교육 양성 프로그램 내에서 마이크로티칭 경험을(시범수업, 수업시연) 가진 교실과 그 경험이 없는 교실을 비교한다. 문제는 예비교사의 수업시연과 관련된 마이크로티칭 경험은 매우 중요하기 때문에 실험연구 때문에 이러한 경험을 못 하게 되었을 경우, 나중에 예비교사가 교생실습에 들어갔을 때 매우 어려움을 겪을 수 있다.

마이크로티칭을 경험하지 못한 예비교사들의 교육적 결핍이나 부족에 대해서 교수자와 연구자는 어떻게 조처했는가?

이러한 부분들이 IRB 문서를 작성하면서 꼼꼼히 체크되어야 되는 부분이다. 결론적으로 실험연구에서 한 그룹의 집단은 교육적 효과나 경험을 하지 못하기 때문에 사후에 어떻게 케어를 해 줄 것인가에 대해서 연구자와 교수자가 같이 고민해봐야 하는 부분이다. 아래[그림3]는 미국 대학의 IRB의 단계를 설명한 그림이다.

4) https://ualr.edu/irb/

IRB REVIEW PROCESS

① Complete IRB Request for Review

② Submit Request, Documents, and CITI to irb@ualr.edu

③ Receive IRB Reviewer Feedback in 10 Business Days

④ Possible Decisions:
▷ Approved
▷ NHPR
▷ Further Review
▷ Full Board

IRB Decision is Required Prior to Contacting Participants or Collecting Data

CLICK TO EXPAND

[그림3] IRB Review Process[4)]

3장 서론 작성을 위한 준비단계

대학원 유학생은 학위논문의 서론을 작성하기 이전에 다음과 같은 질문에 스스로 대답을 할 수 있어야 한다. 교육분야의 예를 통해서 설명을 진행하려고 한다.

1. 논문을 왜 쓰는가?

본인이 궁금해하는 연구 질문에 대한 해답을 찾는 과정이다. 본인이 궁금해하는 교육현상과 교육문제에 대해서 1장에서 자세히 기술해야 할 필요성이 있다. 논문을 빨리 써서 학위를 취득하고 빨리 졸업하겠다는 마인드로 연구에 접근하면 논문의 퀄리티가 떨어질 수밖에 없다. 박사논문이란 본인의 깊이 있는 통찰력이 필요한 과정이다.

2. 그렇다면 학위논문을 통해서 무엇이 이루어져야 하는가?

연구를 통해서 본인이 탐구하고자 하는 교육적 문제나 이슈에 대한 해답 및 정답을 찾아가는 과정이라고 볼 수 있다. 결국, 전 세계 단 하나밖에 없는 본인 자신만의 (타인의 연구가 아니라) 교육적 문제나 이슈에 대한 해답 및 정답, 즉 해결책을 도출해내야 한다. 문제해결적인 연구접근 방법은 통찰력이나 비판적인 사고를 할 수 있는 데 큰 도움이 된다.

□ 본인만의 해답 및 정답이란 것은 구체적으로 무엇인가?

본인 학위논문의 결론 및 제안 부분에 본인이 도출해낸 연구결과를 바탕으로 하여, 본인만의 이론적 틀과 제안 체계를 만들어야 하고, 새로운 교육적 프로그램을 개발해내야 하고 현장에 적용할 수 있는 적합한 틀을 만들어서 제안해야 된다.

3. 실증적 연구데이터를 수집하는 논문의 경우 (Empirical research data)

남들이 다 하니까 따라 하는 연구 분야는 본인만의 깊은 성찰과 반성이 부족 할 수밖에 없다. 선행연구만 잘 정리하는 논문들은 본인만의 연구 독창성 및 색다름이 부족하다. 더불어, 짧은 시간내에 학위를 취득하는 것이 중요한 것이 아니라 어떻게 하면 질(Quality)높은 논문이 될지 올바른 연구 방향성에 대해서 고민하고 생각해야 한다. 다른 연구자가 진행한 선행 연구는 본인 연구의 참고자료일 뿐, 본인 학위논문 그 자체의 목적이 될 수 없다. 그러나 교육 철학을 주제로 하는 논문은 문헌연구법을 사용할 수도 있다.

4. 교육학에서 필요한 교육적 효과가 있는 논문이란?

교육적 문제나 이슈에 대해서 본인만의 교육적 해답을 제공해야 한다. 이러한 과정은 프로그램 개발, 수정, 완성 등의 경우가 있다. 또한, 수업의 개선 발전, 수정, 완성 등도 있다. 본인만의 교육적 효과에 대한 구체적 제시가 반드시 있어야 된다.

5. 본인 모국어로 번역된 책이나 자료만을 읽었을 경우의 문제점

본인 연구 분야의 최신 자료나 흐름을 따라갈 수 없다. 본인의 모국어로 번역된 자료는 내용을 이해하기 위한 참고자료로 사용되는 것이지 계속해서 번역기 사용이나 번역본만을 가지고 공부하면 영어로 작성된 최신 연구와 논문 흐름에 대해서 따라가지 못하고, 현 시대에 뒤떨어진 연구만 계속하게 되는 우려가 있다. 결국, 본인의 독창성이 없는 연구, 특히 현재 시점에서는 큰 의미 없는 연구를 진행할 수밖에 없다.

6. 대학원 유학생이 졸업후 대학에서 연구자가 된다는 것의 의미

영어 원문을 읽을 수 있어야 하고, 영어로 글을 작성하여 국제 학술지에 영어 논문을 출간하고 국제 학술 대회에서 영어로 발표할 수 있는 기본적인 능력이 있어야 한다. 콘텐츠를 이해하는데 있어서 영어 논문을 읽고 쓰는 것은 선택이 아닌 연구자의 필수적인 능력이다

7. 학위논문이란 아래의 내용이 충족되어야 한다.

가. 연구주제의 참신함이 있어야 한다. 지금까지 충분히 연구되지 못한 새로운 핵심 키워드들이 필요하다.

나. 연구 문맥이 참신해야 한다. 기존에 연구가 충분하게 진행되지 않는 연구 공간이나 장소가 필요하다.

다. 연구대상자가 참신해야 한다. 기존 연구에서 다뤄지지 않는 연구대상자에 집중해야 한다.

라. 연구방법론 적용의 참신함과 우수성이 있어야 한다.

위의 방식으로 연구가 진행되어야 학위논문의 결론이나 결과 자체도 기존에 없는 참신함이 나올 수 있다. 남들이 하는 방식을 똑같이 따라 해서 동일하게 진행한다면 결과 부분에서 참신한 내용이 나올 수 없다. 연구를 설계하는 순간부터 새로운 내용을 탐구, 탐험하려는 정신이 필요하다.

아래 [그림4]는 학위 논문의 서론부터 선행 연구까지의 진행 단계를 구조적으로 표현하였다.

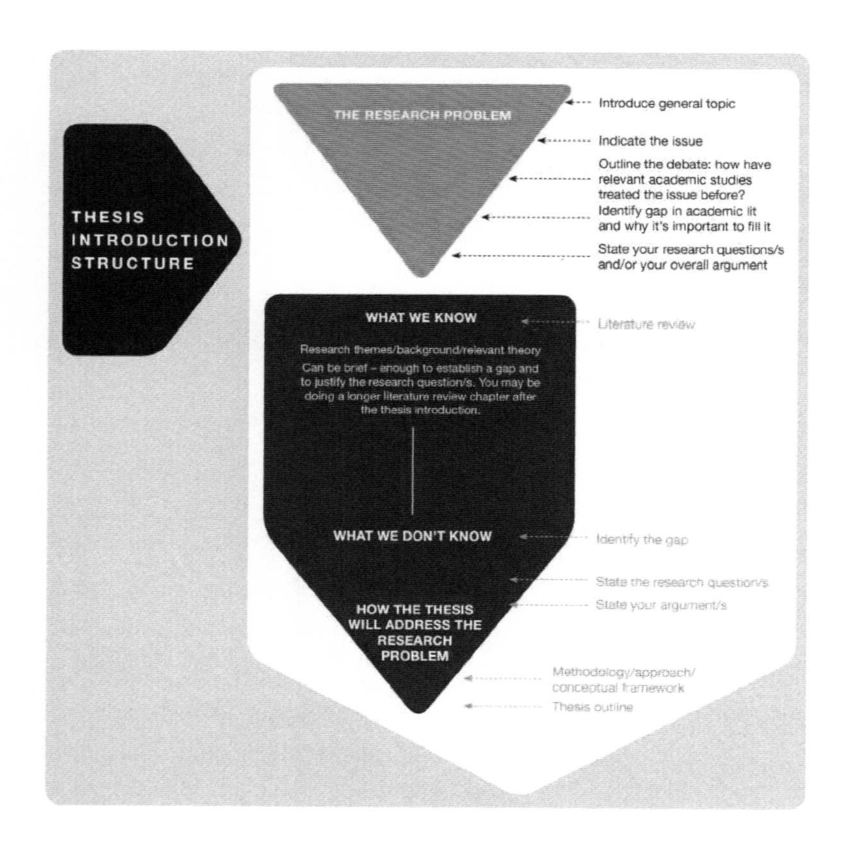

[그림4] Thesis Introduction Structure[5)]

---

5) https://www.anu.edu.au/students/academic-skills/research-writing/introductions

8. 대학원 유학생이 연구자로서 지녀야 할 태도

가. 양적 연구방법과 질적 연구방법 모두 다 할 수 있어야 한다.

본인에게 알맞은 연구 방법을 정하는 것은 나중 문제이다. 양적 연구를 주로 하는 사람은 질적 연구의 연구방법론을 적용한 논문을 읽고 이해할 수 있어야 하며, 질적 연구를 주로 하는 사람 또한, 양적 연구의 결과물 해석을 읽고 이해할 수 있어야 한다.

나. 양적 연구를 진행할 때 주의할 점

연구결과가 유의미하다고 해서 긍정적인 시각으로 모든 연구결과를 일반화하고 해석하면 비판적인 시각이 매우 부족할 가능성이 있다. 숫자가 유의미하다고 보고하고 단순히 끝나는 학위논문은 깊은 연구가치를 부여하기 어렵다. 유의미한 결과를 통해 본인 학위논문 결론 및 논의, 제안할 부분에 본인만의 깊은 성찰이 필요하고 그러한 성찰을 통해 교육적 효과에 대해서 심도있게 논의할 수 있어야 한다.

9. 문제해결식 연구 접근방법

연구를 시작할 때 국내 대학원 유학생이 현재 발생한 교육적 문제나 이슈를 어떻게 해결할 수 있는지 문제해결 방식으로 접근하면 통찰력 있는 연구가 진행될 가능성이 크다. 다음의 예시를 살펴보자.

예시1	대학원 유학생 비교연구의 예시

문제 발견	미국의 다문화, 다언어 교사교육 프로그램과 비교했을 때, 한국의 다문화, 다언어 교사교육은 많이 부족한 상황이다.

↓

문제 해결 방식	필자가 유학생의 신분으로 미국에서 배웠던 효과적인 다문화, 다언어 교사교육 프로그램을 사용해서 한국형 다문화, 다언어 교사교육 모델을 만들어서 제시하는 것이 어떨까?

↓

연구 단계	- 다문화 교육의 이론적 배경이 무엇인가? - 이러한 이론적 배경을 활용한 실증연구는 무엇인가?

↓

성찰 단계	- 단순 비교 분석만 하고 끝날 것인가? - 결론에서 이론에 근거한 교사교육 프로그램 모델을 제시해야 하지 않는가? - 미국형을 참조한 새로운 한국형 다문화, 다언어 교사교육 프로그램을 제안해야 하지 않는가?

이렇게 문제해결 방식으로 접근하면 대학원 유학생이 통찰력 있는 시선으로 연구를 진행할 수 있다고 생각한다.

또 다른 예시를 살펴보겠다.

예시2	온라인 마이크로 티칭(수업시연, 모의수업) 연구

문제 발견	코로나 상황에서 온라인 교육이 중요한데, 기존의 대면 수업 위주로 진행되어 왔던 예비교사의 마이크로티칭(수업시연, 모의수업) 경험을 어떻게 온라인 교육으로 바꿔서 진행할 수 있을까?

↓

문제 해결 방식	온라인 수업을 위해 온라인 마이크로티칭이 들어간 새로운 수업설계를 해서 수업과 연구를 병행해야 하겠다.

↓

연구 단계	- 대면 상황에서 마이크로티칭의 이론적 배경은 무엇인가? - 기존 대면수업에서 마이크로티칭을 적용하여 주로 확인한 변수나 변인은 무엇인가?

↓

성찰 단계	- 대면 수업에서 연구했던 변수나 변인이 온라인 교육상황에서도 여전히 유효한가? - 아니면 온라인 마이크로티칭을 위하여 다른 변수나 변인을 찾아서 확인해야 하는가?

↓

연구 결과 및 제안	- 대면 수업에서 온라인 수업으로 바뀌었을 때 기존의 선행연구와 다른 연구결과가 도출 - 기존 연구와 다르게 도출된 연구결과를 어떻게 바르게 해석하고 분석할 것인가?

이런 단계를 거쳐서 본인의 연구를 문제 해결식으로 접근을 한다면, 연구방법론의 테크닉적인 측면을 뛰어넘어서 본인이 왜 연구를 진행하고 논문을 작성하는지에 대한 연구의 본질과 원리를 깊이 이해할 수 있다. 6)

다음의 [그림5]는 문제해결 방식의 단계를 그림으로 설명하였다. 1) 문제를 정의하고, 2) 문제를 분석하고, 3) 무엇을 할지 결정하고, 4) 계획을 세워서 현장에 적용하고, 5) 진행된 과정을 최종 평가하는 방식을 구체적으로 보여주고 있다.

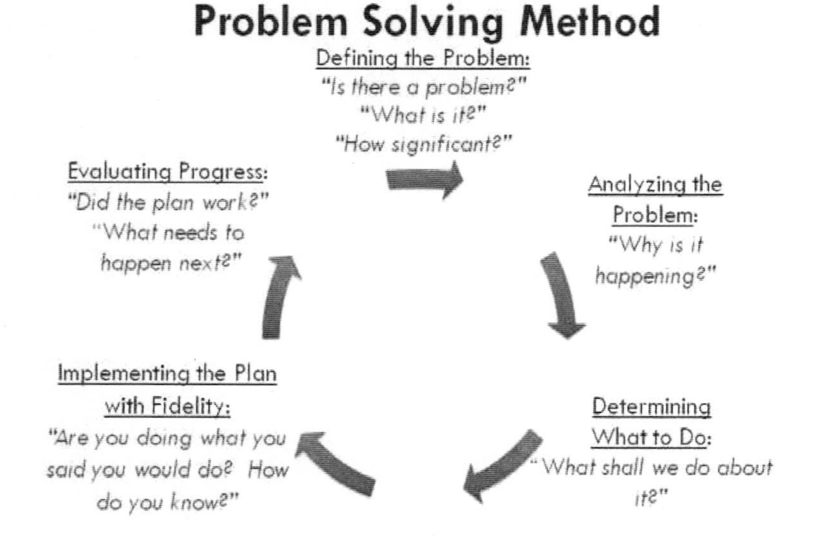

[그림5] Problem Solving Method7)

6) Donovan, M. S., Snow, C., & Daro, P. (2013). The SERP approach to problem-solving research, development, and implementation. National Society for the Study of Education Yearbook, 112(2), 400-425.

4장 학위논문에서 이론의 중요성

필자가 생각할 때 학위논문에서 이론 접근 방식은 크게 3가지 방식이 있다.

첫째. 유명한 학자나 그 분야의 대가가 이미 만든 이론을 본인 학위 논문에 그대로 적용한다.

둘째. 이미 만들어진 이론을 배경으로 대학원 유학생이 스스로 분석 틀을 만들어 연구결과를 재해석한다.

셋째. 대학원 유학생 본인이 이론을 스스로 만들어낸다 (Grounded Theory).

대학원 과정에서 위 3번째의 경우처럼 논문을 진행할 수도 있겠으나 흔치 않은 경우이기 때문에 주로 1번과 2번 중의 하나를 정해서 진행하는 학위논문 작성에 관해서 이야기하고자 한다.

첫 번째 방법은 일반적인 방법으로 많은 학위논문이 이러한 방식으로 진행되고 있다. 기존에 진행된 이론을 그대로 적용하기 때문에 본인만의 독창성이나 새로운 결과 해석이 부족할 수 있다는 단점이 있다.

두 번째 방식으로 진행하면 보통 논문 2장에서 이미 유명한 이론과 선행연구 정리를 바탕으로 본인만의 분석 틀을 (Conceptual framework) 제시할 수 있다. 5장 논의 부분에서 본인의 연구결과에 따라 이론을 재해석할 수 있는 큰 장점이 있다.

---

7) https://www.linkedin.com/learning/paths/improve-your-problem-solving-skills

아래의 [그림6]은 이론과 연구 및 실제가 삼위일체가 되는 것의 중요성을 묘사한 그림이다. 이론을 통해 연구가 진행되고 그 연구는 실제에 적용이 되어야 한다. 결론적으로 3가지 요인들이 서로 영향을 주고받는 관계를 표현한 그림이다. 대학원 유학생들은 본인의 연구가 실제 교육현장에 어떻게 적용되어서 교육적 문제나 이슈를 해결할 수 있는지 생각해 봐야 된다. 바로 이 부분이 본인 논문만의 교육적 가치나 연구 가치가 될 수 있다.

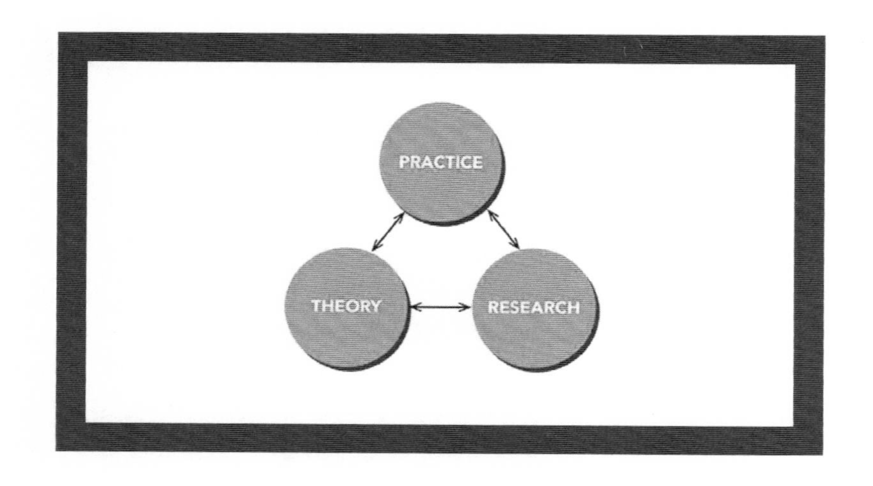

[그림6] 이론, 연구, 실제 적용의 상호 연계[8]

8) https://www.linkedin.com/pulse/importance-theories-andrew-johnson

1. 한가지 이론을 깊숙이 이해하고 연구한다는 의미

필자의 박사 논문을 예시로 설명하고자 한다.

■ **주제: 초등학교 예비 교사의 영어학습자에 대한 마이크로티칭 경험: 자기효능감 이론을 중심으로**

이론적 배경으로 반두라의 자기효능감에 관한 역사 및 배경에 관해서 설명했다. 반두라의 자기효능감은 심리학에서 굉장히 유명한 이론이다. 그 이론을 바탕으로 모란과 호이(Moran & Hoy) 및 다른 학자들이 교수효능감으로 교육 분야에서 측정을 시작했다.[9)]

최근 2010년대에 들어와서 교사의 자기효능감과 교수효능감을 구성주의적 이론 배경으로 측정하자는 의견이 대세를 이루고 있다.[10)]

---

9) Tschannen-Moran, M., Hoy, A. W., & Hoy, W. K. (1998). Teacher efficacy: Its meaning and measure. Review of educational research, 68(2), 202-248.

10) Usher, E. L., & Pajares, F. (2008). Sources of self-efficacy in school: Critical review of the literature and future directions. Review of educational research, 78(4), 751-796.

2. 용어 변화 정리[11)]

가. Self-efficacy: 자기효능감

반두라는 처음 이 주장을 할 때 일반성인을 대상으로 했다.
기본적인 이론적 배경은 사회 인지주의이다.

나. 자기효능감을 바탕으로 교사의 교수 효능감의 척도를 개발한 사람은 반두라가 아니고 모란과 호이(Moran & Hoy) 이다.

Teaching(Teacher) efficacy: **교수효능감**

최근 학자들은 예전에 진행한 간단한 인과관계의 결과로 교사의 자기효능감을 측정하기보다, 구성주의 이론 배경으로 교사의 자기효능감 발달과 변화, 그리고 자기효능감을 구성하는 요소들에 대해 깊이 있게 이해하고자 한다.

결국, 교사의 자기효능감에 대한 "믿음"(Teacher self-efficacy beliefs) 이라는 단어로 진화했다.

---

11) Dellinger, A. B., Bobbett, J. J., Olivier, D. F., & Ellett, C. D. (2008). Measuring teachers' self-efficacy beliefs: Development and use of the TEBS-Self. Teaching and teacher education, 24(3), 751-766.

Pendergast, D., Garvis, S., & Keogh, J. (2011). Pre-service student-teacher self-efficacy beliefs: An insight into the making of teachers. Australian Journal of Teacher Education, 36(12), 4.

3. 실제 가르치는 학생이 없다면 교수자의 자기효능감, 가르치는 학생이 있다면 교수 효능감

가. Teacher self-efficacy

- 교수자의 자기효능감은 주로 예비교사 대상으로 연구가 진행되었다.
- 실제로 가르쳐야 하는 대상인 학생이 없으면, 교사교육 프로그램 내에서 마이크로티칭(모의수업, 시범수업) 경험을 활용하여 예비교사의 자기효능감을 측정할 수 있다.

나. Teaching efficacy

- 교수 효능감은 현직교사 대상으로 진행되었다.
- 현직교사는 교실에 실제 학생이 있으므로 자기효능감과 다르다.
- 결국, 교수효능감의 측정방식과 설문지 질문은 자기효능감과 서로 다르다.

예비교사도 교수효능감이라는 분석 틀과 측정 도구를 가지고 분석을 할 수 있는데 이러한 경우는 예비교사가 학교현장실습에 나가서 직접 학생들을 만나서 지도하는 경우이다.

아래의 [그림7]은 반두라의 자기효능감을 바탕으로 교사의 자기효능감으로 변화된 모델을 제시한 예시이다. 이 분야에 관심이 있는 학생은 1998년에 모란과 호이가 작성한 영어 원문을 찾아서 꼼꼼히 읽어보길 바란다.

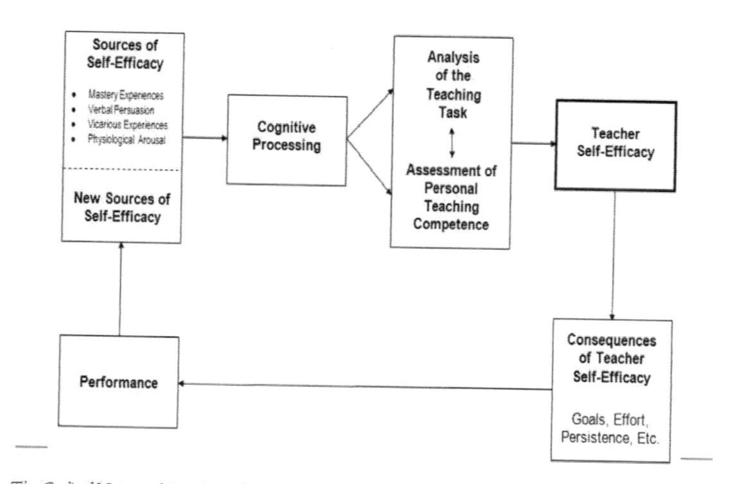

[그림7] Teacher Self-Efficacy

4. 21세기 구성주의 학습이론

가. 구성주의의 원리와 본질

구성주의 학습 이론의 본질을 가장 간단하게 한마디로 정의하면 학습자가 실제로 하면서 배운다(Learning by doing)는 개념이다. 결국 학습자가 실제로 경험하면서 학습이 이뤄진다는 것이 핵심이라고 볼 수 있다. 구성주의 학습이론의 기반은 학습자의 경험을 통한 지식구성이 본질이자 핵심이다.[12)]

아래 [그림8]은 구성주의를 적용한 모델에서 학습자의 경험이 어떻게 지식을 구성하는지에 대한 단계를 설명한 그림이다.

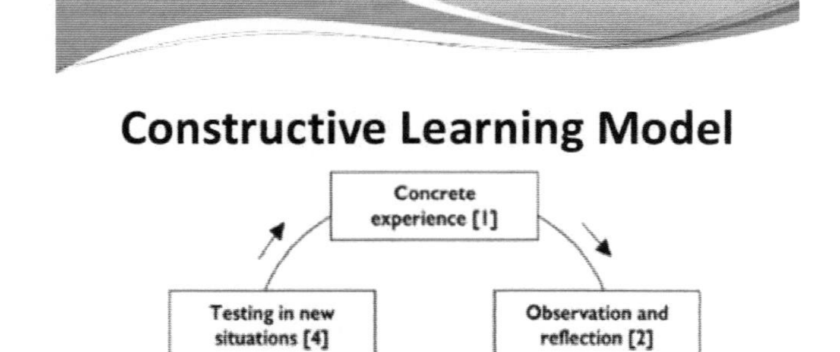

[그림8] Constructive Learning Model

12) Harris, K. R., & Graham, S. (1994). Constructivism: Principles, paradigms, and integration. The journal of special education, 28(3), 233-247.
Karagiorgi, Y., & Symeou, L. (2005). Translating constructivism into instructional design: Potential and limitations. Journal of Educational Technology & Society, 8(1), 17-27.

나. 구성주의 학습이론을 적용한 플립러닝(거꾸로 교실)의 원리

플립러닝의 원리와 본질은 화려한 온라인 플랫폼과 다양한 온라인 기술이 아니다. 플립러닝의 본질은 구성주의 학습이론에 바탕을 두어 학습자 중심의 수업, 그리고 학습자가 자기주도적 학습을 할 수 있도록 교수자가 구성주의 학습환경을 조성하는 것이다. 그리고 실제 수업시간 중에 학습자가 동료와의 대화와 상호소통 작용을 통해서 사회적 구성주의를 실현하는 것이다. 정리하면 플립러닝의 경우, 온라인 플랫폼을 통해서 구현한다는 것은 테크닉, 방법적인 이야기이고, 실제 교수 본질은 아니라는 것이다.

플립러닝의 실제 원리는 구성주의 학습이론에 따라서 학생들이 실제로 경험하면서 배운다는 개념이고 동료들과 함께 학습공동체를 형성하고 그러한 상호작용과 경험을 통해 학습자의 지식이 구성, 재구성된다는 것이다. 이러한 과정을 통해 학생들은 독립적인 학습자, 자기주도적 학습자가 될 수 있다. 여기서 교수자의 역할은 지루한 강의식 수업은 수업 전으로 보내고 실제 수업 중에는 의미있는 다양한 활동을 할 수 있도록 구성주의적 학습 분위기나 환경을 조성해주는 것이다.

정리하면 모든 교수법에는 학습이론이 바탕이 되어야 하고 그 이론적 배경을 기본으로 하여 실제 교수-학습 방법이 설계되고 적용되어야 한다.

다음[그림9]은 플립러닝의 수업 전, 수업 중, 수업 후 3단계를 설명한 그림이다.

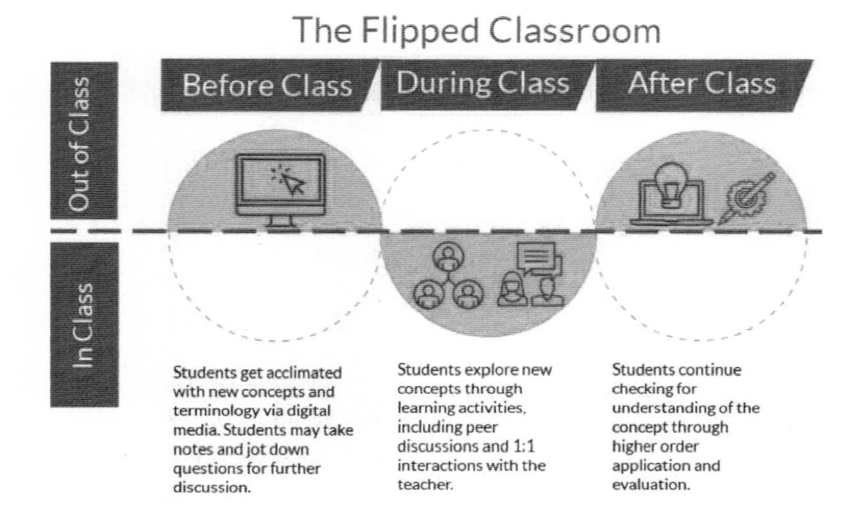

[그림9] The Flipped Classroom[13)]

13) https://www.odysseyware.com/blog/using-classpace-flipped-classroom

5장. 학위논문 선행연구 정리 방법

1. 선행연구를 작성하는 구체적인 방법

◆ **예비교사 마이크로티칭 경험 소논문의 예시**

영어로작성	한국어설명
Introduction	서론
Theoretical background → Teacher self-efficacy	이론적 배경: 자기효능감
Micro-teaching → Keyword	마이크로 티칭: 핵심키워드
The relationship between teacher self-efficacy and micro-teaching	이론 자기효능감과 핵심키워드 마이크로티칭간의 관계설명
Microteaching in teacher education programs	마이크로티칭이 교사교육 프로그램에서 사용된 실증연구 정리
Research method	연구방법
Study participants	연구대상자
Research context	연구문맥
Data collection and analysis	연구데이터 수집 및 분석

연구결과 용어는 혼용해서 사용 할 수도 있으나, 구체적으로 살펴보면
양적 연구결과만 있다면 영어로 Study results,,
질적 연구결과만 있다면 영어로 Study findings,
혼합연구 라고 한다면 (Study) results 로 주로 사용한다.

Discussions and implications : 토론 및 논의
Conclusions and suggestions : 연구를 통한 미래 방향성 제시
Limitations of study : 연구의 한계점
References : 참고문헌

◆ **예비교사 플립러닝 경험 소논문의 예시**

영어로작성	한국어설명
Introduction	서론
Conceptual framework: Four pillars of Flipped Learning (FL)	플립러닝 분석 틀 제시
FL on learner engagement	플립러닝이 학습자의 학습 참여에 미치는 영향에 대한 실증연구 정리
FL on self-directed learning	플립러닝이 학습자의 자기 주도적 학습에 미치는 영향에 대한 실증연구 정리
FL on satisfaction	플립러닝이 학습자의 수업만족도에 미치는 영향에 대한 실증연구 정리
Research method	연구방법
Study participants	연구대상자
Research context	연구문맥
Data collection and analysis	연구데이터 수집 및 분석

연구결과 용어는 혼용해서 사용 할 수도 있으나, 구체적으로 살펴보면
양적 연구결과만 있다면 영어로 Study results,
질적 연구결과만 있다면 영어로 Study findings,
혼합연구라고 한다면 (Study) results 로 주로 사용한다.

Discussions and implications : 토론 및 논의
Conclusions and suggestions : 연구를 통한 미래 방향성 제시
Limitations of study : 연구의 한계점
References : 참고문헌

2. 선행연구를 정리할 때 '정독'의 중요성

가. 능동적 학습자를 위한 정독의 중요성

– 대학원 유학생이 공부나 연구를 배우면서 교수자가 가르쳐 주는 것만 배워서 익히는 방법은 수동적인 학습자의 모습이다. 대학원 유학생이 교수자에게 제대로 공부하는 방법이나 연구에 접근하는 방법을 배웠으면 수동적인 자세에서 벗어나서 본인이 스스로 능동적인 학습자로 바뀌어야 한다. 구성주의에 입각한 자기주도적 학습자가 되어야 한다.

– 책과 선행연구 논문을 읽었다고 하는데 내용 자체를 제대로 기억하지 못하고 놓치는 대학원 유학생은 많은 경우에 '정독'을 하지 않았다는 의미가 될 수도 있다.

나. 대학원 유학생들이 정독하지 못했던 이유는?

- 변인 간의 관계 부분만 읽고 있어서
- 이론을 찾지 않고 공부하고 있어서
- 선행연구정리를 본인의 글로 제대로 정리하지 않은 채 자료를 수집해서
- 쉽게 연구를 하고 나서 졸업하고 본국으로 돌아가려고
- 쉽게 일반화하려는 생각과 습관을 지니고 있어서
- 문제해결 방식의 연구접근법을 사용하지 않아서

무엇인가 제대로 한 분야를 이해하려면 대학원 유학생 본인이 교재나 연구를 정독하고 꼼꼼히 읽어봐야 한다. 정독하지 않는다면 깊이있는 공부를 하지 못할 가능성이 크다.

6장 연구'방법론'은 기술적인 부분

다음의 두 가지 예시를 통해서 설명하려고 한다.

▶ **교수자가 '교수방법론'에만 집중하면 수업의 본질을 놓치게 된다.**

▶ **연구자가 '연구방법론'에만 집중하면 연구의 본질을 놓치게 된다.**

'방법론'적인 부분에만 집중하면 생기는 문제점에 관해서 설명한 영어 논문을 소개하고자 한다. 영어로는 "The fetish of method"라고 불린다.[14)]

1. 교수' 방법론'에만 집중을 할 경우

– 교수자 본인이 어떤 학습이론을 근거로 특정한 교수방법을 사용하고 있는지 간과 할 수 있다. 학습 이론적 배경이나 근거가 없는 교수방법론이라는 것은 존재하지 않는다. 대부분 교수–학습 방법은 학습이론에 기초한 경우가 많다.

– Methods fetish에 빠져버리면, 교수자가 본인 교육철학이 무엇인지 깊이 생각하지 않고, 모든 것을 기술적, 테크닉적으로 해결하려는 경향이 생길 수 있다. 교수'방법론'은 중요하지만, 실제 "교수"라는 개념은 방법론적인 측면만 이야기하는 것이 아니다. 따라서 실제 교육의 본질을 다시 생각하고 이해할 필요가 있다. 더불어 교육적 효과도 다시 생각해볼 필요가 있다.

---

14) Aronowitz, S. (2012). Paulo Freire's radical democratic humanism: The fetish of method. Counterpoints, 422, 257–274.
Bartolome, L. (1994). Beyond the methods fetish: Toward a humanizing pedagogy. Harvard educational review, 64(2), 173–195.

2. 연구'방법론' 에만 집중을 할 경우

– 연구자가 연구'방법론'에만 집중하게 되면 본인이 어떤 이론적 배경으로 이러한 연구방법론을 사용하게 되었는지 깊이 생각하지 않게 되고 변인 간의 상관관계만 측정하게 된다. 왜 이러한 논문을 쓰려는지, 본인 논문의 연구주제와 목적, 즉 연구 본질에 대해서 깊이 고민하고 생각해봐야 한다. 학위논문은 다양한 연구방법론을 사용해서 뭔가를 측정하려고 하는 것이 본질이 될 수 없다. 본인의 전문분야를 효율적으로 측정하기 위해서 연구방법론이 도움을 주는 것이다.

– 소논문이든, 학위논문이든, 연구자 본인이 탐구하고자 하는 분야, 그리고 충분한 선행연구를 통해 본인이 그 분야에 대해서 전문가가 되고, 전문분야에 한해서 적절한 연구방법을 사용해서 연구를 진행하는데, 연구방법론이 도움을 주는 것이다.

– 결과적으로 연구방법론이 연구의 본질이 되어서는 안 된다. 본인 전문분야의 내용적 지식을 구성하는 것이 선행되어야 하고, 그 다음이 연구방법론이다. 연구방법론을 많이 배워도, 실제 전문분야의 깊이가 부족하면 방법론을 사용해서 측정하고 결과를 얻어도 실제 연구결과의 유의미와 무의미를 제대로 해석할 수 없기 때문이다.

– 대학원 유학생은 연구할 때, 테크닉적인 방법론을 먼저 접근하지 말고, 그 이전에 연구의 본질, 원리, 이론, 연구하려고 하는 본래의 연구목적을 살펴봐야 한다.

□ 대학원 유학생이 연구방법론을 배울 때 기술적인 관점에서 벗어나야 한다는 점을 강조하고 싶다. 다음과 같은 내용을 생각해봐야 한다.

- 왜 이러한 연구주제를 선정하는지
- 이론적 배경은 어떻게 선행연구에서 제대로 찾아낼 수 있는지
- 선행연구 정리는 어떻게 제대로 작성하고 구성하는지
- 전문분야는 어떻게 확장할 수 있는지
- 연구방법론의 '인식론'은 무엇인지
- 이론적 배경은 본인 결론 부분에 적용되어서 재해석 되어야 하는지

이런 과정을 거쳐서 대학원 유학생이 연구를 올바른 방향으로 진행해야 한다는 것을 강조하고 싶다.

7장 학위논문의 결론 및 논의 쓰기

학위 논문 2장에서 제시된 이론이 본인의 연구결과에 따라서 어떻게 적용되고 해석 또는 재해석 되는지 구체적으로 생각해봐야 한다. 그리고 본인 연구결과를 통해서 미래에 어떠한 제안할 점을 제시할지 깊이 생각해봐야 한다.

□ 학위논문의 논의와 결론에서 생각해봐야 되는 부분:

- 이러한 연구결과는 교사에게 어떤 의미가 있는가?
- 교사가 이러한 연구결과를 어떻게 활용할 수 있는가?

- 이러한 연구결과는 학생에게 어떤 의미가 있는가?
- 도출된 연구결과는 학생들의 효율적 학습에 어떠한 영향을 미치는가?

- 이러한 연구결과를 통해 어떻게 효율적인 교육프로그램을 개발, 현장에 적용할 수 있는가?
- 학생을 위한 효율적 교육프로그램을 위해서 이 연구결과는 어떻게 현장에 적용될 수 있는가?

- 이 논문은 미래연구자나 교육자들에게 어떤 가치가 있는가?
- 미래연구자들에게 제시하는 미래연구의 방향성은 무엇인가?

다시 말해 학위논문이라는 것은 전 세계 유일하게 존재하는 본인만의 분석틀이나 교육적 효과에 대해서 명확히 제시할 수 있어야 한다.

8장 올바른 학위논문 연구 단계와 방향성 정리

지금까지 설명한 국내 대학원 유학생을 위한 올바른 연구 단계와 방향성에 관한 내용을 총정리하고자 한다.

1. 논문의 핵심키워드와 변인에 대해서 전문분야로 만들어야 한다.

학위논문 핵심주제에 대해서 선행연구 정리를 스스로 진행하지 않는 상태에서 그 분야를 제대로 깊이 이해했다고 보기 힘들다. 특히 대학원 유학생은 본인 머릿속의 생각을 제2 언어인 글로 표현하여 선행연구 정리를 진행해야 한다. 선행연구 정리를 제대로 하기 이전에 자료수집을 시작하거나 측정을 시작하면 안 된다. 자료를 수집할 수 있을 정도로 본인이 준비되어 있는지 대학원 유학생은 다시 한번 스스로 점검해야 한다.

2. 선행연구를 정리하면서 그 변인의 이론적 배경이 무엇인지 심도 있게 이해해야 한다.

– 이론적 배경이 제대로 진행되지 않는 학위논문은 기본적인 연구의 본질을 제대로 파악하지 못한 연구이다.

3. 이론적 배경과 선행연구를 제대로 구분해서 논문을 작성해야 한다.

다시 한번 강조하지만, 선행연구의 변인만을 확인했을 경우, 이론적 배경이 없는 연구가 탄생할 수 있다. 앞에 설명한 선행연구를 '정독'하길 바란다.

4. 연구방법론을 공부하고 접근할 때, 연구방법의 인식론적인 측면을 먼저 확인하고 접근해야 한다.

- 이게 과연 양적으로 측정할 수 있는가?
- 양적으로 측정할 수 있다면 어떤 방법이 필요한가?
- 질적으로 측정을 해야 하는가? 어떤 연구방법이 나의 연구 분야에 가장 알맞은 방법인가? 등등의 질문에 스스로 답할 수 있어야 한다.

5. 본인 연구 분야는 이미 진행된 선행연구가 있을 것이다.

- 사회과학 분야에서는 누군가가 이미 예전에 그 분야의 연구를 먼저 진행했을 가능성이 매우 크다. 결국, 아직 대학원 유학생 본인이 제대로 찾지 못했던 것으로 생각해야 된다. 그 분야의 연구가 없다고 쉽게 단정 짓지 말고 다시 한번 확인해봐야 한다. 특히 본인의 모국어로만 공부할 경우, 그 분야가 아직 그 나라에 제대로 적용되지 않고 시작되지 않았다는 의미로 해석해야 한다. 영어로 쓰인 논문을 찾다 보면 누군가는 이미 진행했지만, 본인이 몰랐던 연구를 새롭게 찾을 수 있다.

6. 영어로 작성된 논문 중에서도 퀄리티 높은 소논문을 찾아야 한다.

- 영어 논문의 출판사가 검증되고 공인 된 것이어야 된다. 아래 출판사 리스트를 참고하기 바란다. [The Biggest Educational Publishers[15]]

15) https://bookscouter.com/blog/2016/06/the-biggest-textbook-publishers/

영어로 작성된 논문이라고 해도 무조건 퀄리티 높은 논문이라고 볼 수 없다. 소논문이라도 선행연구를 정리하면서 이론적 배경을 설명하고 그 연구결과에 제대로 적용한, 질 높은 선행연구를 찾아야 한다. 주의해야 할 점은 선행연구를 찾을 때 변인 간의 관계에만 집중하면 이론을 놓치게 된다. 논문을 읽을 때 정독을 해서, 어떻게 선행연구가 이론을 제시하고 변인 간의 관계를 설명하고 논의 부분에서 이론을 적용해서 설명하는지 그 단계나 과정을 꼼꼼히 살펴보면서 정독을 해야 한다. 요약하면 본인이 이 논문의 심사자가 된다는 생각으로 소논문을 정독하기 바란다.

□ 대학원 유학생 자가점검 체크리스트

올바른 연구단계와 방향성을 통한 학위논문 작성을 위해서, 대학원 유학생들은 아래의 10가지의 체크리스트를 스스로 점검하면서 본인 연구단계에 대해서 다시 한번 확인해야 한다.

가. 본인의 전문분야에 관한 선행연구를 직접 글로 작성한 상태인가?

나. 석·박사 논문의 1장과 2장이 글로 정리가 된 상태인가?

다. 1장과 2장을 글로 진행하지 않고 전문분야를 만들지 않은 상태에서 연구자료를 수집하였는가?

라. 본인이 연구하고자 하는 연구주제에 대한 명확한 이론은 무엇인가?

마. 학위논문에서 이론이 중요한 이유는 무엇인가?

바. 연구'방법론'에만 집중하지 않았는가?

사. 본인 연구의 본질이 무엇인가?

아. 지금까지 본인이 진행했던 연구에 대하여 자기반성과 성찰을 진행했는가?

자. 본인 학위논문의 퀄리티를 높이기 위해서 지금 해야 되는 것은 무엇인가?

차. 연구자 윤리와 양심에 대해서 깊은 고민을 하였는가?

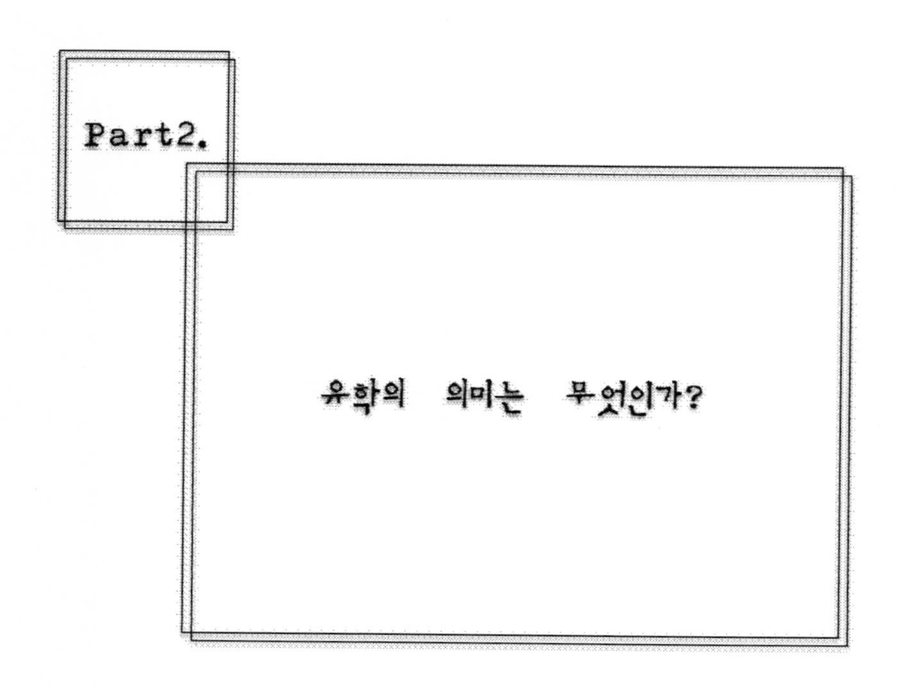

Part2.

유학의 의미는 무엇인가?

9장 유학의 목적과 본질

유학의 목적과 본질은 개별 유학생에 따라서 다를 수 있다. 하지만 필자가 생각하는 대학원 유학생은 새로운 나라에서 새로운 것을 배워서 본국에 돌아가서 특별한 인재가 되어야 한다는 것이 기본적인 생각이다.

필자는 석사를 인디애나 주립대에서 했는데 일부러 다른 학교로 이동해서 한국 사람이 적은 플로리다 대학교에서 박사를 했다. 그 이유는 한국 커뮤니티 안에서만 안주하고 한국인들과 교류할 경우 영어 실력이 늘지 않는다는 것을 명확히 인지했기 때문이다.

필자가 4년 동안 박사과정을 하면서 같은 전공에서 만난 한국인 선생님은 필자가 1년차일 때, 졸업생 선배님 두 명, 그리고 필자가 졸업생일 때 한 분의 선생님이 신입생으로 들어왔다. 결론적으로 4년 동안의 박사 과정 동안 3명의 한국 선생님을 만났고 박사 중간 2년, 3년 차에는 필자 전공 학과에 한국 사람 자체가 없었다.

필자의 이러한 경험에 비추어볼 때 대학원 유학생들이 본국의 커뮤니티 안에서만 생활함으로써 한국어와 문화를 제대로 익히지 못하는 현재 상황이 올바르게 유학을 하는 과정일까 하는 의문점이 든다. 유학의 이유와 본질에 대해서 다시 한번 생각해보는 계기가 되었으면 한다.

다음 [그림10]은 유학생활을 통해서 배우고 경험할 수 있는 다양한 요소를 표현한 그림이다. 유학생활은 그 나라의 언어, 문화, 생활, 정치, 경제 등의 배운 다양한 경험을 할 수 있으며, 그 나라의 원어민 뿐만 아니라 같은 유학생들끼리 교류하면서도 많은 것들을 배우고 얻을 수 있다. 본인의 모국어 커뮤니티에서 벗어나서 다양한 사람들과 교류하면서 유학생의 본질을 깨닫기 바란다.

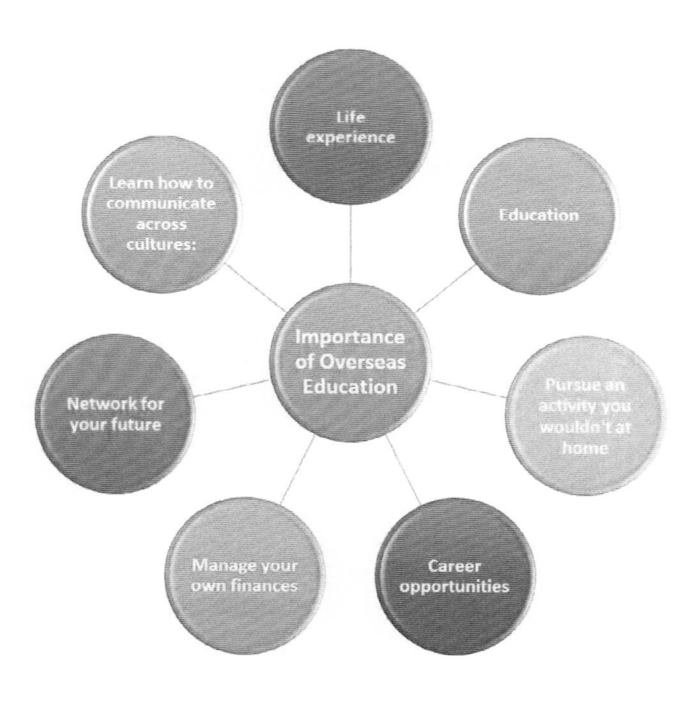

[그림10] Importance of Overseas Education

1. 대학원 유학생의 성찰일지

국내에서 유학하는 대학원 유학생들은 한국에서 공부하는 동안, 한국 언어, 문화, 생활, 공부, 또는 학업적으로 느끼거나 배운 내용 등을 체계적으로 정리할 필요가 있다.

석사부터 한국에서 유학하여 한국어가 굉장히 유창한 대학원 유학생들에게 물어봐도, 본인의 유학생활에 대한 성찰이나 자기 발전의 노력이 부족한 것을 발견할 수 있었다.

필자의 선배님은 유학생활 중에 꾸준히 신문사에 투고하셔서 책 한권을 출판했다. 이 책[그림11]을 국내 대학원 유학생들에게 강력히 추천한다.

[그림11] 다문화 톨레랑스 미국의 다문화 다인종 교육 들여다보기[16)]

16) 조형숙 저 | 나노미디어 | http://www.yes24.com/Product/Goods/18308873

2. 대학원 유학생 자가점검 체크리스트

대학원 유학생 본인의 한국에서의 생활을 성찰할 때, 아래의 질문에 대해 스스로 답을 해보길 바란다.

가. 한국 대학교육에 대해서 가장 인상 깊었던 점이 무엇인가?

나. 본인이 사는 지역에서 가장 인상 깊었던 것은 무엇인가?

다. 한국어(언어) 사용에 있어서 가장 인상 깊었던 것은 무엇인가?

라. 한국 문화 중에서 가장 인상 깊었던 것은 무엇인가?

마. 한국 드라마나, 영화 중에서 가장 인상 깊었던 것은 무엇인가?

바. 한국을 여행하면서 가장 인상 깊었던 것은 무엇인가?

사. 본인이 만난 한국 사람 중에서 가장 인상 깊었던 점은 무엇인가?

아. 한국 사회에서 가장 인상 깊었던 것은 무엇인가?

자. 한국의 역사 중에서 가장 인상 깊었던 것은 무엇인가?

차. 한국 기초생활 질서 중에서 가장 인상 깊었던 것은 무엇인가?

국내 대학원 유학생은 위의 모든 질문에 대해서 본국의 나라와 비교해서 깊이있게 성찰할 수 있는 능력이 있어야 한다. 유학생의 기본 시작은 본국과 유학하는 나라의 교육을 비교하는 비교교육학적인 능력에서 시작된다.

다음은 국내 유학생의 증가추세를 보여주는 통계자료[그림12]이다. 앞으로 이러한 추세는 계속 될 전망이며, 코로나 상황이 끝나면 더 많은 유학생들이 한국으로 학위를 취득하러 입국할것으로 전망된다.

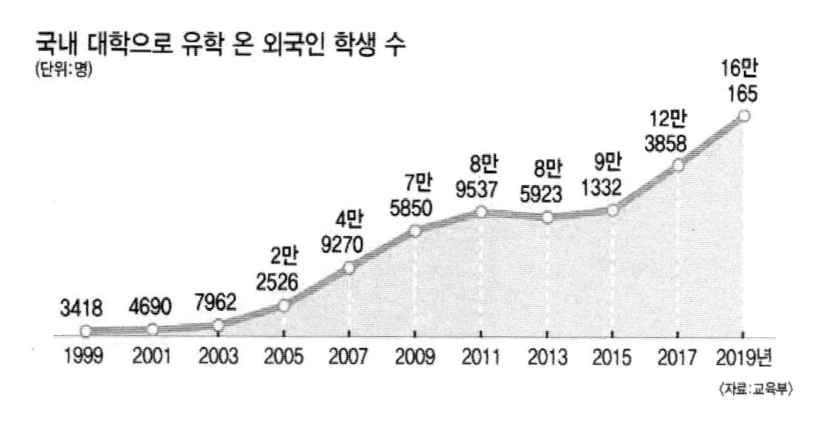

[그림12] 국내 유학생 증가 추세 통계자료 (2019)

10장 필자의 미국 박사과정 예시

1. 박사과정 입학 전 단계

미국 대학은 박사 입학 전부터 예비학생이 지도교수가 될 만한 교수와 미리 연락하고 소통해서 학생이 지원 가능한지 확인하는 과정을 거친다. 이러한 과정에서 지도교수가 학생을 받을 마음이 있는지 없는지 판단하고 알려준다. 다시 말해서 입학 전부터 지도교수가 정해져서 그 해당 지도교수가 그 학생을 받을 마음이 있어야 신입생을 받는다.

2. 박사과정 입학 후 단계

□ 미국은 최소 2년에서 2년 반 동안 수업을 들어야만 종합시험 (Qualifying exam)을 칠 수 있는 권한을 준다.[17)]

종합시험은 앉아서 하루에 과목별로 치는 테스트 방식이 아니라, 학생에게 한달에서 한달반 정도의 시간을 주고 본인 전문 분야의 선행연구 정리와 연구방법론에 대해서 한 분야당 15장 정도 작성하는 것이 주된 목표이다. 그러고 나서 박사논문 심사위원들이 종합시험을 점검한다. 결국, 최소 2년이나 2년 반 동안 오로지 수업만 듣고 난 이후에 종합시험을 시행한다.

종합시험 통과 이후에 연구계획서를 제출할 때까지 다시 한 학기라는 시간을 주고 논문의 1장과 2장을 점검한다.

---

17) https://stat.ufl.edu/academics/graduate/graduate-handbook/qualifying-examination/

박사과정 학생이 제출한 연구계획서를 논문 심사위원들이 다시 평가하고 그 연구계획서가 최종 통과되어야만, 그제야 학생이 스스로 자료를 모을 수 있는 IRB를 지원할 수 있는 자격을 준다. 그러면서 본인 논문의 3장이 완성된다.

결국, 학생이 실제 자료를 수집하기 전까지 최소 2년 반에서 3년이라는 시간 동안 박사논문의 1장~3장이 철저히 다 끝나고 난 다음에 학생에게 실제 자료를 수집할 수 있는 자격이 주어진다.

다시 설명하면 박사학위논문의 3장 연구방법론까지 꼼꼼하게 연구설계를 다 마쳐야 박사과정 학생이 실제로 자료를 모으고 수집할 수 있다는 뜻이다.

아래 [그림13]은 미국 박사과정을 순서대로 정리한 그림이다.

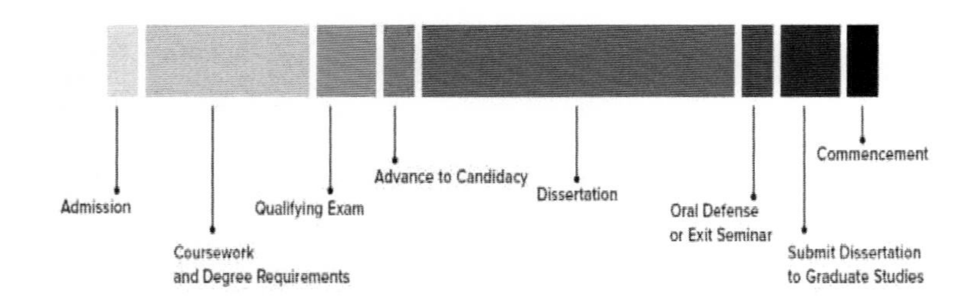

[그림13] Doctoral Degree Milestones

3. 박사과정은 주제를 좁히기만 하는 과정인가?

박사과정을 흔히 한 분야를 좁혀서 진행하는 과정[그림14]이라고 생각할 수 있겠다. 필자의 미국 박사학위 과정을 생각해 볼 때 박사학위 과정은 수업을 들으면서 지식을 넓히는 과정과 논문으로 연구주제를 좁히는 과정 두 가지가 동시에 진행되어야 한다고 생각한다.

수업을 통해서 다양한 내용과 지식을 접하고 그중에서 본인의 전문분야를 선택하여 연구를 위해서 특정한 영역을 집중적으로 공부하는 것이 올바른 단계라고 생각한다. 그리고 미래에 박사과정 학생이 교수가 되어서 미래 지도학생의 논문을 지도할 때 이러한 넓은 배경 지식이 도움이 될 수 있으리라 생각한다.

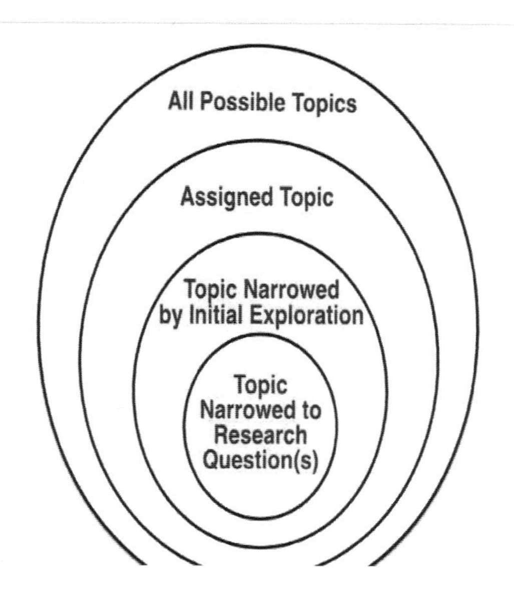

[그림14] 학위 논문주제를 좁히는 과정

4. 미국 박사 학위 최종 논문 심사 예시[18]

[그림15]는 필자의 박사학위논문 최종 발표 모습이다.

[그림15] 박사학위 최종발표 모습

<table>
<tr><td rowspan="4">심사위원
4인 구성</td><td>지도교수</td><td>총괄담당</td></tr>
<tr><td>심사 위원1</td><td>학생 주제 해당 분야 전문가</td></tr>
<tr><td>심사 위원2</td><td>학생 주제 해당 분야 전문가</td></tr>
<tr><td>심사 위원3</td><td>연구 방법론 교수</td></tr>
</table>

가) 첫 질문자는 대부분 연구방법론 교수가 진행한다.

첫 질문은 주로 연구의 인식론(認識論, Epistemology)에 대한 부분이다.

나) 박사논문 핵심 주제가, 양적이나, 질적으로 측정할 수 있는가?

어떻게 측정할 수 있는가?

---

18) Kelly, G. J. (2012). Epistemology and educational research. In Handbook of complementary methods in education research (pp. 32-55). Taylor and Francis.

Becker, H. S. (1996). The epistemology of qualitative research. Ethnography and human development: Context and meaning in social inquiry, 27, 53-71.

다) 연구방법론의 본질을 물어보고 난 다음에는 내용지식 전문가가
이 영역의 이론적 배경이 무엇인가 물어본다.

라) 본인 논문 핵심주제에 대한 이론적 배경은 무엇인가?
그 이론적 배경이 결론 부분에서 제대로 스며들어 있는가? 또는
설명이 제대로 되었는가?

① 연구방법론의 인식론적인 부분과 ② 그 콘텐츠의 이론적 배경에
대해서 먼저 심도있게 물어보고 나서 심사를 계속 진행한다.

마) 변인(변수), 요인에 대한 질문은 그 다음에 3번째나 4번째로 물어보
는 질문이다. 결론적으로 1, 2번에 관한 질문에 학생이 제대로 대답을
하지 못하였을 경우 3번에 대한 질문으로 연결되지 않는다. 정리하면,
논문의 본질과 원리에 대한 질문이 최종 논문심사에서 먼저 이루어진다는
점이다.

5. 연구방법론 수강에 대하여

필자가 미국에서 박사과정을 할 때 총 15학점의 연구방법론에 대한 수업을 수강했다. 미국에서는 종합시험을 시행하기 전에 최소 12학점의 연구방법론 수업을 수강해야 종합시험을 칠 수 있는 자격이 주어진다. 다음은 필자의 연구방법론 수강기록이다.

- **1학기:**
  연구방법의 기본 (3학점)
  Foundation of Research Methods
- **2학기:**
  양적 연구방법 1, 2 (6학점)
  Quantitative Research Method 1
  Quantitative Research Method 2
- **3학기:**
  질적 연구 데이터수집 (3학점)
  Data collection of qualitative research method
- **4학기:**
  질적 연구 데이터분석 (3학점)
  Data analysis of qualitative research method

필자는 개인적으로 국내 대학원 유학생들의 연구 방법론 수업 학점이 너무 부족한 게 아닌가 생각한다. 즉, 연구방법론을 심도있게 공부해야 양적연구방법도 알고 질적연구방법도 알고, 결국 나중에 혼합연구를 본인이 구성할 수도 있다고 생각한다.

6. 연구조교 경험

필자는 박사과정 중 연구 조교경험이 학생 본인의 미래연구에 미치는 긍정적 영향에 관해서 설명하고자 한다.

미국에서 필자가 유학 2년차일 때 지도교수가 어느 날 불러서 연구프로젝트를 제안했다. 연구주제는 '미국 예비 교사의 영어 학습자에 대한 학교현장실습 효과'였다.

□ 필자는 연구조교로서 다음과 같은 단계를 거쳐서 연구를 진행했다.

가. 학교현장실습 관련 분야 선행연구 읽기
나. 선행연구 정리
다. 선행연구 실제 글로 쓰기
라. Questionnaire와 인터뷰 질문 만들기
마. 연구 지원과 동의서 → IRB 신청하기
바. 실제 데이터 수집
사. 실제 데이터 분석
아. 실제 논문작성
자. 교수의 피드백
차. 논문 출간

이때의 경험은 한국에 귀국해서 한국 예비교사의 학교현장실습 연구를 진행하는 데 긍정적인 영향을 미쳤다. 필자는 학교현장실습에 관한 선행연구 정리를 계속할 필요가 없었다. 왜냐면 이미 예전에 다 했기 때문에 몇 가지만 더 추가하면 끝나는 상황이었다.

미국에서 필자가 박사 3년차 일 때 지도교수가 불러서 또 다른 연구 프로젝트를 제안했다. 미국 초등학교 현직 교사의 영어 학습자에 대한 교사연수를 진행하려고 하는데 교사연수 프로그램을 하나 만들어서 진행하는 것이 어떤가 하는 내용이었다. 다음의 단계를 거쳐서 연구가 진행되었다.

□ 연구 단계별 진행 과정

- 선행연구 읽기
- 선행연구 정리 → 실제로 글로 작성하기
- 교사 연수와 관련된 자료 수집
- 블랜디드 러닝 교사연수 프로그램 만들기
  → LMS (Learning Management System)에 세팅
- 실제 교사연수 진행
- 연구 동의서 - IRB 진행
- 실제 데이터 수집 → Questionnaire + 인터뷰
- 데이터 분석
- 소논문 작성
- 교수의 피드백
- 논문 투고

이때 미국 현직 교사연수에 관해서 연구했던 경험들은 국내로 돌아와서 한국 현직 영어선생님들의 영어 원어 수업(Teaching English Through English) 교사연수에 관한 연구를 진행하는 데 큰 도움을 주었다. 필자는 교사연수에 관한 선행연구 정리를 다시 할 필요가 없었다. 왜냐면 이미 예전에 다 했기 때문에 몇 가지만 더 추가하면 끝나는 상황이었다.

국내 대학원 유학생에게 강조하고 싶은 점은, 박사과정 중의 연구조교 경험은 졸업 이후에 스스로 독립적인 연구자로서 연구를 진행할 때 기본적인 바탕이 되는 중요한 경험이라는 점이다. 유학하는 나라에서 경험했던 연구를 본국으로 돌아가서 그대로 적용 가능한지 검증이 가능한지 다시 한번 살펴보는 것이 독립연구자로서의 출발점이 될 수있다고 제안한다.
다음 [그림16]은 필자의 학회발표 사진이다.

[그림16] 필자의 학회 발표 모습

7. 박사학위논문 탄생 배경 이야기

필자가 2년차 였을 때, 지도교수에게 찾아가, 요즘 플립러닝에 관한 교재를 읽고 있는데 이 교수방법을 예비교사의 영어학습자에 관한 수업에 적용하면 굉장히 효율적일 것 같다고 제안했다. 지도교수와 여러 번의 토의 후에 수업 중에 필요한 여러 활동들을 구성하던 중 마이크로티칭 경험을 하나의 주요 활동으로 추가하면 좋겠다고 정리했다.

◆ **필자의 5학기:**

다른 교수자의 수업에 플립러닝을 실제로 적용해 봤다.

이 파일럿 연구는 필자 박사학위논문의 중요한 기초 자료가 되었다.

◆ **필자의 6학기:**

플립러닝에 관한 선행연구를 더 읽었고 선행연구를 실제로 글을 통해 작성했다. 이 독립연구는 나중에 선행연구 정리 소논문으로 출간되었다.

◆ **필자의 7학기:**

지도교수와 상의 후에 교육적 효과를 직접적으로 측정할 수 있는 미국초등 예비교사의 영어학습자 대상 마이크로티칭 경험으로 연구주제를 집중하기로 했다. 독립연구를 통해 선행연구가 작성되었고 결국 이 연구는 필자의 박사논문 1, 2장이 되었다.

그 이후에 IRB 과정을 거쳐서 실제 데이터 수집하는 도중에 3장이 완성되었다. 그리고 사례 연구방법을 활용하여 데이터를 분석하였다.

• **마지막 학기인 필자의 8학기** 때 논문작성이 완료되었고 최종 논문심사를 통과하였다. 앞에서 설명한 박사과정 중에 연구조교로서 참여했던 연구프로젝트들이 현재 필자가 한국에 귀국해서 독립연구자로써 현재의 연구를 진행하는데 긍정적으로 영향을 주고 있다.

다음의 구체적인 예시를 들어 설명하겠다.

필자의 박사과정 중에서 진행한 대면 마이크로티칭의 개념을 바탕으로 현재 코로나 상황에서 국내 예비교사의 온라인 마이크로티칭 경험 논문으로 발전되었다.

대면 수업에 기초한 예비교사의 플립러닝 개념을 바탕으로 코로나 상황에서 줌을 활용한 실시간 온라인 플립러닝 수업 경험 조사로 발전되었다.

위에서 설명한 대로 국내 대학원 유학생들도 지도교수와의 연구프로젝트를 통해서 연구를 올바른 방향으로 배우고 정상적인 단계를 통해 연구를 진행한다면 대학원 유학생의 연구경험에도 도움이 되고, 학위논문을 구성하는 데 큰 도움이 된다고 생각한다. 더불어 졸업 이후에도 본인이 배운 연구프로젝트를 스스로 확장할 수 있는 밑거름이 된다고 필자는 생각한다.

결론적으로 필자가 박사과정에서 제대로 배웠던 부분이 졸업하고 나서 필자가 교수가 되었을 때 이러한 연구조교 경험들 전부가 기본 연구 역량이 되었다.

8. 대학원 유학생의 멘탈 관리[그림17]

필자가 미국에서 석사, 박사 과정 경험에 비추어 볼 때, 유학하는 학생 자신의 멘탈 관리가 정말 중요하다는 것을 깨닫게 되었다.

필자는 박사과정 지도교수와 연구 미팅 중에 지도교수의 질문에 답을 제대로 하지 못해서 울고 싶었던 경험이 매우 많았다. 박사과정 중에 힘든 경험이 많았지만, 그 과정을 제대로 거치고 난 뒤 큰 교훈을 얻었다.

결국, 이러한 과정들이 필자가 유학생 신분에서 내공이 되고, 연구를 올바르게 하는 것이 무슨 의미인지 깨닫게 되었다. 필자가 졸업하고 나서 되돌아보니 지도교수의 말이 나중에 스스로 이해가 되는 충고였다.

지금 현 상황에서는 내공이 부족해서 이해가 안 될 수도 있지만, 대학원 유학생 스스로 내공이 쌓이고 졸업하고 난 뒤에 독립적으로 연구를 하다 보면 스스로 해답과 정답을 찾을 수 있을 것이다.

대학원 유학생이 열심히 '공부한다'라고 할 때, 최우선의 과제는 올바르고 적절한 연구단계와 연구방향성을 잡는 것이라고 생각한다. 빠르게 졸업해서 학위를 따는 것이 유학의 최우선 과제 및 목표가 아니기 때문이다. 무엇이 유학의 본질이고 유학생이 본국으로 돌아가서 어떠한 인재가 되어야 하는지 깊이 생각하고 성찰해보는 시간을 가졌으면 한다.

---

19) https://twitter.com/researchstash/status/909102504671010816

[그림17] Anatomy of a Grad student[19]

9. 대학원 졸업 이후의 연구 방향성에 대하여 [그림18]

유학생활을 통한 박사학위 취득 이후 새로운 연구 영역 발전이 어떻게 진행되는지 필자의 경험을 바탕으로 설명하겠다.

대면 수업 상황에서 예비교사의 마이크로티칭 경험은 이미 효율성이 선행 연구에서 많이 증명되었다. 하지만 반두라의 자기 효능감을 사용하여, 사회인지적 이론을 배경으로 양적으로 주로 측정되었다.

구성주의 이론을 배경으로 자기효능감을 재해석한 결과, 예비교사의 자기효능감이 영역별로 다르게 나타났다. 정리하면 예비교사들의 자기효능감에 대한 개인별 차이점은 일반화가 힘들 정도로 각 영역에 따라서 다른 결과가 도출되었다.

구체적으로 예비교사는 개별로 본인이 교육하는 학생의 언어 수준, 문화 차이, 학업 성취도별 차이, 학년별, 학교별 등과 같은 여러 가지 변수에 따라서 자기효능감이 매우 다르게 나타났다.

결론적으로 이전에 쉽게 양적으로 인과관계를 드러냈던 결과들을 다시 한번 자세하게 생각하고 측정되어야 한다는 결론이 나왔다.

□ 그렇다면 대면 마이크로티칭 연구의 다음 방향성은 무엇인가?

2020년과 2021년 코로나 상황에서는 주로 대면 수업으로 진행되는 국내 예비교사의 마이크로티칭 경험이, 비대면 (온라인으로 진행되는) 온라인 마이크로티칭 경험으로 바뀌어야 한다.

여기에서 생각해야 하는 문제는, 예비교사의 마이크로티칭 경험을 대면 수업과 비대면(온라인 수업)으로 비교했을 때, 온라인 수업이 대면수업과 같은 결과를 제시할 것인가, 아니면 다른 특별한 점이 나타날 수 있는지 확인해야 한다.

실제 연구를 진행한 후 연구결과는, 온라인 마이크로티칭 경험은 대면 수업상황과 비교하여 여러 가지 다른 결과가 도출되었다. 구체적으로 예비교사의 자기효능감 세부영역 중에 온라인 마이크로티칭 경험일 경우 대면 수업경험과 비교해서 다른 연구 결과를 보여줬다.

□ 코로나 상황에서 온라인 마이크로티칭을 측정했으니, 이 주제에 관한 다음 연구는 무엇인가?

가상현실(Virtual Reality) 기술을 이용하여, 미래 학생을 가상의 아바타로 만들어서 온라인 마이크로티칭 수업경험이 가능하지 않을까?

예를 들어서, 가상의 미래 학생을 아바타로 설정해놓고, 예비교사가 모의 수업시연과 수업 연습을 진행할 수 있을 것이다. 온라인 마이크로티칭 환경에서 새로운 기술을 활용한다면 앞으로 가능성이 큰 신선한 연구가 진행될 수 있다.

더 나아가서, 인공지능을 이용한 가상의 미래 학생을 대상으로 온라인 마이크로티칭 경험이 예비교사에게 어떤 효과가 있는지 확인한다면, 앞으로 더욱 좋은 연구주제가 될 수 있다고 생각한다. 실제로 연구자들이 이 분야에 관한 연구를 진행하고 있다.

그렇다면 그동안 대면으로만 진행되어왔던 예비교사의 학교현장실습 경험에 대해서도 같은 질문을 던져봐야 한다. 코로나 상황이 지속한다면 무슨 교육적 방법이 대면 학교현장실습 대한 대책인가? 온라인으로 가능할 것인가?

인공 지능(AI) 기술을 이용하여 가상의 교실과 학생을 구현 가능하다면 시도해볼 만한 가치가 있다고 생각한다. 하지만 학교현장실습은 살아있는 인간 생명체인 학생을 대상으로 진행되기 때문에 가상현실 속의 학생은 한계점이 있다.

하지만 코로나 상황 때문에 대면 학교현장실습이 현재로서 한계가 있다면 새로운 교육 방법과 효과를 고려 해봐야 할 시기라고 생각한다. 최근 여러 연구자의 온라인 학교현장실습에 대한 가능성과 관심도가 매우 높아져서 이 분야에 관해서 연구가 본격적으로 시작되는 단계이다.

[그림18] Life after PhD

10. 혼합 연구의 장점에 대해서 생각해보기

필자는 현재 공동연구자와 함께 주로 혼합연구를 적용하여 연구를 진행하고 있다. 그 이유는 설문지를 통해서 수집한 양적 데이터 결과를 바탕으로 인터뷰나 다른 질적 연구방법을 통해서 양적 방법으로 도출된 내용과 결과가 왜 그런지 구체적인 인터뷰 질문을 던지면서 질적으로도 더 깊은 내용을 이해하기 위함이다.

양적연구 설문지 결과와 질적연구 인터뷰 결과 내용을 비교·분석하여 공통점과 차이점을 파악할 수 있다고 생각한다. 더불어, 양적과 질적이 둘 다 같은 결과 방향으로 일치할 경우 두 가지 연구방법을 결합한 유의미한 연구결과가 도출될 수 있다고 생각한다. 또한, 양적연구를 통해 분석된 무의미한 결과에 대한 해석이 부족할 경우, 질적연구 자료가 더 깊이 있는 설명을 해줄 수 있다고 기대한다.

국내 대학원 유학생들도 졸업 이후에 공동의 연구자와 함께 혼합 연구를 적용하여 연구 전체의 큰 그림과 깊이 있는 연구 결과를 도출하면서 퀄리티 있는 소논문을 작성할 수 있다고 생각한다.

이렇게 진행하기 위해서는 박사과정에서 양적과 질적연구방법론을 모두 다 수강하여서 혼합연구를 할 수 있는 역량을 키워야 한다. 졸업 이후에 두 가지 방법을 모두 다 사용하는 혼합연구법을 본인 연구에 적용한다면 더 깊이 있는 주제를 탐구할 수 있을 것으로 기대된다.[20]

---

20) Teddlie, C., & Tashakkori, A. (2009). Foundations of mixed methods research: Integrating quantitative and qualitative approaches in the social and behavioral sciences. Sage.

Vogt, W. P., Gardner, D. C., Haeffele, L. M., & Vogt, E. R. (2014). Selecting the right analyses for your data: Quantitative, qualitative, and mixed methods. Guilford Publications.

다음 [그림19]은 혼합연구의 진행단계와 비교분석을 간단히 설명한 그림이다.

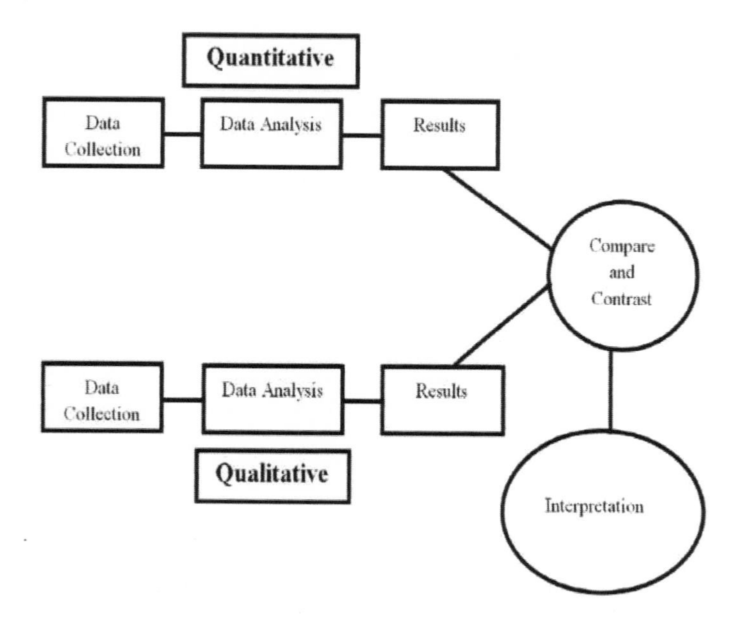

[그림19] 혼합연구의 진행단계

11. 혼합연구의 예시

□ 학기 말에 설문지 한번, 인터뷰 한번 진행하는 경우

가. 양적으로 측정할 수 있는 설문지를 선행연구에서 찾는다.

나. 원래 있던 설문지를 제대로 번역해서 측정하고자 하는 분야를 구체적으로 정리한다.

다. 설문지의 신뢰도와 타당도를 먼저 측정한다.

라. 신뢰도와 타당성이 제대로 검증되면, 실제 설문지를 진행해서 데이터를 수집한다.

마. 설문지 결과를 먼저 분석한다.

바. 유의미, 무의미한 부분을 정리한다.

사. 설문지를 작성한 연구대상자 중에서 인터뷰 대상자를 모집한다.

아. 인터뷰 대상자에게 설문지에서 도출된 결론에 대해서 어떻게 생각하는지 구체적으로 물어보면서 내용을 확인한다.

여기에서 인터뷰 질문은, 설문지에서 유의미하게 나왔던 연구결과 부분을 집중적으로 질문하는 것이 인터뷰의 효율성을 높이는 데 큰 도움이 될 수 있을 것이다. 양적 결과의 유의미한 부분이 왜 그런지 확인하기 위한 과정이다.

결론적으로 양적으로 유의미한 부분이 질적으로도 같이 의미가 있다면 양적과 질적 두 가지 데이터의 결론이 같은 방향으로 분석되었기 때문에 더욱 강력한 연구 결과가 도출될 수 있을 것이다. 질적연구방법을 추가해서 인터뷰에서 더 깊은 내용을 물어봤기 때문에 양적결과의 내용을 더 구체적으로 본인의 결론 부분에서 효율적으로 설명할 수 있을 것이다.

♦ **예시: 유학생 대상, 영어를 매개로 진행하는 수업 효과** (English as a Medium of Instruction, EMI)
1) 학기 말 EMI 수업에 대한 설문지를 진행함 2) 양적 결과분석을 간단히 분석함 3) 유의미/무의미 부분을 확인함 4) 설문지를 기본 데이터로 설정하여 그룹인터뷰 진행함 5) 인터뷰에서 도출된 결과를 양적 결과와 다시 비교함 6) 두 가지 연구 분석을 통하여 최종적으로 도출된 연구결과 분석함 7) 논문작성을 시작함

□ 혼합연구를 더 정교하게 측정하고 싶을 경우

ㅇ 두 번의 설문지 진행 → 학기 초에 실시하는 사전설문지 진행
학기 말에 진행하는 사후설문지 진행

ㅇ 두 번의 인터뷰 진행 → 사전설문지 이후에 바로 사전 인터뷰 진행
사후설문지 이후에 바로 사후 인터뷰 진행

□ 예시: 국내 예비교사 학교현장실습 효과 연구

○ 학기 초 사전설문지를 진행함
사전설문지 이후, 양적 연구 분석을 바탕으로 사전 인터뷰를 같이 진행함

→ 교수효능감 설문지를 사용하여 참여 대상별로 간단히 어떤 부분이 자신 있고, 어떠한 부분이 자신 없는지 확인하고 간단히 정리함

○ 학기 말에 두 번째 설문지 진행 (사후설문지)
- 사전설문지와 사후설문지 간의 차이점과 변화에 대해서 양적으로 유의미한 부분을 분석함
- 사전과 같은 인터뷰 대상자를 대상으로 사후 인터뷰 진행함
- 사전 인터뷰와 사후인터뷰의 교수효능감 차이점에 대해서 공통점과 차이점을 비교함

결론적으로 양적으로 사전, 사후설문지를 통해서 유의미하게 변화된 부분을 질적으로 같이 확인해서 양적과 질적 연구결과가 공통점을 가지는 부분은 어느 부분인지, 차이점을 가지는 부분은 어느 부분인지 총괄적인 연구결과를 도출할 수 있다.

11장. 변화의 필요성

필자는 국내 대학의 종합시험을 경험하면서 대학원 유학생의 종합시험 목적은 무엇일까에 대해서 깊은 고민을 하게 되었다. 종합시험의 최종목적이 대학원 유학생이 그동안 수업시간에 배웠던 내용적 지식을 단순히 점검하는 것이 최종목적일까 하는 생각이 들었다.

구성주의 학습이론이 본격적으로 도입된 것이 1990년대이고 그 이후에 많은 시간이 흘렀다. 대략 30년 정도의 시간이 흘렀는데 아직도 많은 대학원 유학생들이 수업시간에 일방적으로 전달된 지식에 관한 내용을 달달 외우는 단순 암기방식으로 종합시험을 공부하고 시험을 치르고 있다.

종합시험의 목적은 대학원 유학생들이 배운 기본적인 내용과 지식을 가지고 스스로 지식을 활용한 적용 경험을 통해 지식을 구성할 수 있도록 해줘야 더 효율적인 공부 방식과 종합평가라고 생각한다.

결국, 배운 내용을 바탕으로 미국 종합시험과 유사하게, 대학원 유학생 본인의 논문 1장과 2장을 직접 작성하고 쓰면서 스스로 경험하고, 직접 논문을 쓰는 과정을 통해서 대학원 유학생 본인이 지식을 구성 또는 재구성할 수 있도록 종합시험 방식의 변화가 필요한 시점이라고 생각한다.

지금까지 진행된 대학원 유학생들이 배운 내용을 단순 암기하여 시험을 치르는 방식에서 벗어나서, 수업시간에 배운 기본 지식을 가지고 어떻게 대학원 유학생들이 스스로 지식을 활용, 적용하는 경험을 할 것 인가에 대해서 다시 고민해봐야 하는 시점이다. 결국, 유학생들의 실질적인 경험을 통한 지식구성이 목적이라면, 대학원 유학생의 논문 1, 2장 작성이 종합시험의 취지에 더 알맞은 방법일 수도 있다.

결국, 학습자가 실제로 하면서 배우는 경험이 중요하고, 그 경험에 따라서 어떻게 학습자가 지식을 구성, 재구성할 수 있는지를 평가하는 방식으로 종합시험 방식의 변화를 진지하게 생각해야 할 시점이라고 제안한다.

아래 [그림20]은 미국 박사학위과정 진행단계의 예시이다.

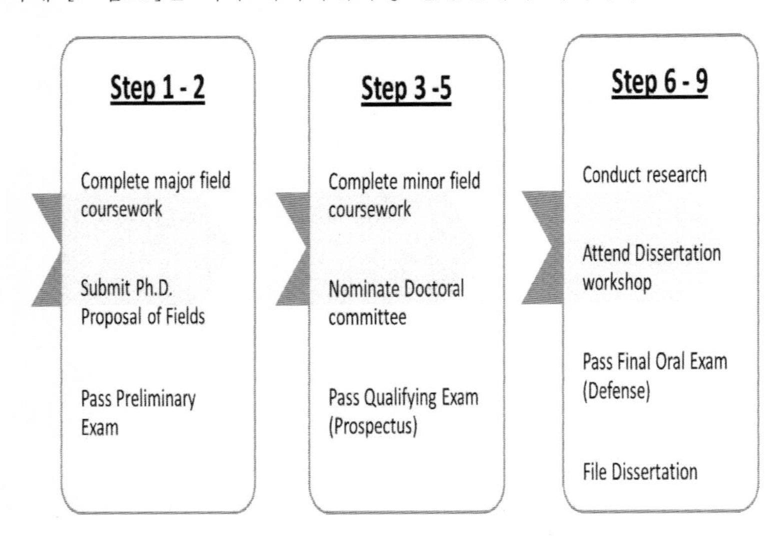

[그림20] 미국 박사과정 진행단계 예시

1. 교수자의 다문화, 다언어 반응 교수법[21)]

미국 몇몇 주(state)에서는 교수진(faculty)도 다문화, 다언어적인 부분에 대해서 스스로 연수를 진행해야 할 의무가 있다. 왜냐하면, 전 세계 많은 국제학생이 미국 대학으로 유학을 오고, 그런 상황에서 교수진 역시 다양한 국제학생들을 제대로 지도하기 위해서 다문화, 다언어 반응적 교수법에 대해서 이해하고 적용할 필요성이 있기 때문이다. 이러한 내용은 문화반응적, 언어반응적 교수법[그림21]이라고 불리고 현재 이 분야에 대해서 활발하게 연구가 진행되고 있다.

국내 대학의 교수자에게도 이런 연수가 필요한 이유는 대학원 유학생 중 학위만 취득하여 돌아가려는 유학생들에게, 이런 연구 방향성이 옳지 않으며 유학의 본질이 아니라는 것을 명확히 설명해 주어야 하기 때문이다. 유학의 본질과 목적은 유학을 하는 나라의 최근 연구나 교육 추세를 배워서 본국에 돌아가 본인이 스스로 적용할 수 있는, 새롭고 특별한 시각을 가진 인재가 되어야 한다고 생각한다. 결국, 몇몇 대학원 유학생들이 빨리 학위만 취득하여 본국에 돌아가는 것을 목표로 하고 있다면, 지도교수의 관점에서 학생들에게 제대로 된 연구 방향성과 연구 단계에 대해서 다시 한번 확실히 교육해야 할 필요성이 있다고 생각한다.

---

21) de Jong, E. J., Naranjo, C., Li, S., & Ouzia, A. (2018, April). Beyond compliance: ESL faculty's perspectives on preparing general education faculty for ESL infusion. In The Educational Forum (Vol. 82, No. 2, pp. 174-190). Routledge.

Coady, M., Li, S., & Lopez, M. Twenty-five Years after the Florida Consent Decree: Does Preparing All Teachers for English Learners Work?. Florida Association of Teacher Educators Journal.

물론 유학생 개인마다 유학의 목적과 본질이 다를 수 있으나, 기본적인 유학의 본질에 대해서는 모두가 공통점을 가지고 있다고 생각한다. 이 책을 읽고 있는 국내 대학원 유학생들에게 다음과 같은 질문을 던져본다.

• 본인의 유학 본질과 목적이 빠른 졸업과 빠른 학위 취득을 하고 난 뒤 본국으로 돌아가는 것인가?

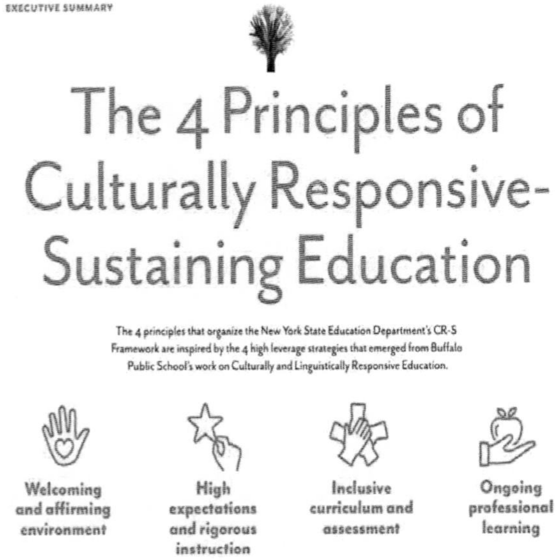

EXECUTIVE SUMMARY

The 4 Principles of Culturally Responsive-Sustaining Education

The 4 principles that organize the New York State Education Department's CR-S Framework are inspired by the 4 high leverage strategies that emerged from Buffalo Public School's work on Culturally and Linguistically Responsive Education.

Welcoming and affirming environment

High expectations and rigorous instruction

Inclusive curriculum and assessment

Ongoing professional learning

[그림21] 문화반응적 교수방법

2. 이중 언어 교수자를 강조하는 이유는? [그림22]

이중언어자 교수자는 언어학습자를 보는 시각이 색다를 수 있다. 결국, 언어학습자를 대하는 마음가짐(포지셔닝) 자체가 다르다는 의미다. 결국, 콘텐츠 수업 안에서도 언어적인 측면을 충분히 강조하여 수업할 수 있는 기본적인 능력과 역량이 있기 때문이다.

이러한 부분은 최근 연구로서 많이 증명되었다. 최근 미국 교사양성 프로그램 내에서 이중언어를 할 수 있는 예비 교사를 더욱 많이 양성하자는 논리의 주된 이유다. LOTE (Languages Other Than English)라는 능력을 최근에 많이 강조하고 있다.[22]

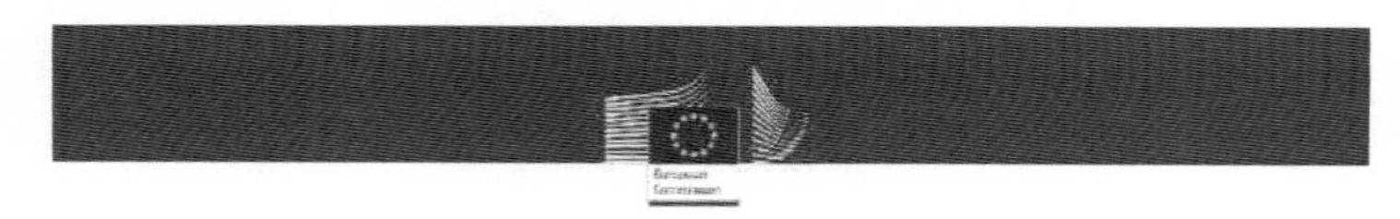

What are multilingual classrooms?

[그림22] Multilingual Classrooms

22) Coady, M. R., Harper, C., & De Jong, E. J. (2016). Aiming for equity: Preparing mainstream teachers for inclusion or inclusive classrooms?. TESOL Quarterly, 50(2), 340-368.

3. 국내 대학원 유학생들에게 다양한 형태의 수업 제공[23)]

필자가 생각하는 유학의 최종목적은 본인 전공의 콘텐츠 학습과 그 나라의 언어학습이 동시에 진행되는 것이다. 유학하는 나라의 언어 능력이 부족하면 콘텐츠를 배우는 부분에 있어서 큰 한계점이 있을 수 있다. 결국, 콘텐츠와 언어학습, 이 두 가지는 반드시 유학의 목적으로 동시에 진행되어야 한다.

만약에 한국어가 부족한 대학원 유학생이라면, 영어를 매개로 하는 수업[그림23]을 진행하는 것도 한 가지 방법이 될 수 있다. 대학원 유학생들이 콘텐츠를 영어로 배우면서 영어 실력도 함께 증진할 좋은 기회라고 생각한다. 실제로 많은 대학원 유학생들이 영어 수업, 즉 원어로 진행하는 수업을 선호하고 본인들 역시 본국으로 돌아가서 교수자가 되었을 때 영어로 수업을 진행하는 것의 중요성을 인지하고 있다.

물론 한국에서 현재 유학을 하는 상황이기 때문에, 한국의 문화와 언어에 대해서 제대로 익히고 배워야 하는 것이 기본적인 국내 유학생의 목표이다. 하지만 다양한 형태의 수업을 제공한다는 의미로 봤을 때, 영어를 매개로 하는 수업도 유학생들에게 좋은 수업경험과 높은 수업만족도를 제공할 수 있을 것으로 기대된다.

---

23) Dearden, J. (2014). English as a medium of instruction-a growing global phenomenon. British Council.

He, J. J., & Chiang, S. Y. (2016). Challenges to English-medium instruction (EMI) for international students in China: A learners' perspective. English Today, 32(4), 63.

[그림23] English as a Medium of Instruction

4. 대학 교수자의 역할

필자가 생각하는 대학 교수자의 본질적 역할은 세 가지 단어로 설명될 수 있을 것 같다. 수업, 연구, 논문지도 이다.

□ 수업

수업은 학습자들의 의미있는 교육경험을 위해 진행되어야 한다.
21세기, 그리고 코로나19 상황에서 교수자의 역할은 에듀테크를 활용하여 블렌디드 러닝 및 온라인 교육을 효율적으로 진행할 수 있는 교수자여야 한다.

이러한 내용은 필자가 박사과정중에서도 이미 강조되고 있었는데,
코로나 상황에서 준비 안 된 상태로 급격하게 수업을 바꾸려고 하다 보니 여러 가지 문제점들이 초반에 생겼다.

특히 대학원 유학생들이 현재 코로나 상황에서 국내에 입국하지 못한 채로 원격(예:줌)으로 실시간 수업을 많이 받고 있는데, 이 부분에 관한 충분한 연구와 수업에 대한 결과분석이 계속 진행되어야 한다고 생각한다.

□ 연구

필자가 생각하는 연구자로서의 역할은 끊임없이 공부하고 새로운 전문 영역을 확장해야 하지 않을까 생각한다. 21세기 융합, 4차산업혁명, AI 시대 흐름에 있어서 한 가지 분야에만 전문가인 연구자는 시대적 흐름에 맞지 않을 수 있다. 여러 분야와 영역을 동시에 다 잘할 수 있는 연구자를 요구하는 시대가 되어가고 있다. 그런 의미에서 멀티플레이어 연구자의 존재가 필요하다.

교육학 영역에서도 한 가지 분야만 잘하게 되면 다른 분야의 논문을 심사위원으로서 참석하지 못하거나 학생들을 제대로 지도할 수 없다. 결국, 한가지 우물을 깊게 파는 것도 중요하지만, 동시에 전문영역을 확장한 연구자도 필요하지 않을까 생각한다.

특히 필자와 같이 교육방법, 교육공학 쪽 분야를 전문으로 하는 연구자는 여러 분야를 잘해야 하는 운명이 있다. 왜냐면 어떻게 효율적으로 가르칠지에 대해서 다양한 전문분야의 연구자들과 서로 피드백을 주거나 코칭을 서로 해줘야 하기 때문이다.

□ 논문지도

대학원 유학생들의 연구를 지도 할 때는, 올바르게 연구의 방향성, 그리고 기본적인 연구 단계를 거쳐서 연구하는 법을 알려줘야 한다고 생각한다. 더불어 연구를 할 때 연구자의 윤리성과 함께 깊게 생각하는 비판적 사고와 연구의 본질에 대해서 이해할 수 있는 통찰력을 길러주어야 한다.

5. 교수자, 연구자의 성찰일지[24] [그림24]

교수자 또는 연구자 본인은, 스스로 성찰일지를 꾸준히 적으면서 정리를 해야 하지 않을까 생각한다. 대학원 유학생들을 지도하면서 부분, 부분, 파편으로 흩어져 있는 생각들을 글을 통해서 생각을 정리하고, 부족하고 빠진 부분이 무엇인지, 어떤 부분을 더 추가해야 하는지 종합적으로 생각한 내용에 대해서 글로 조금 더 명확히 표현할 수 있을 것이다.

필자가 이 교재를 집필하는 이유도 위와 같다. 대학원 유학생 대상으로 수업을 진행하고 연구를 지도하면서 느낀 점과 필자 자신의 성찰을 책으로 편찬해서 미래의 대학원 유학생들을 올바르게 지도하기 위함이다.

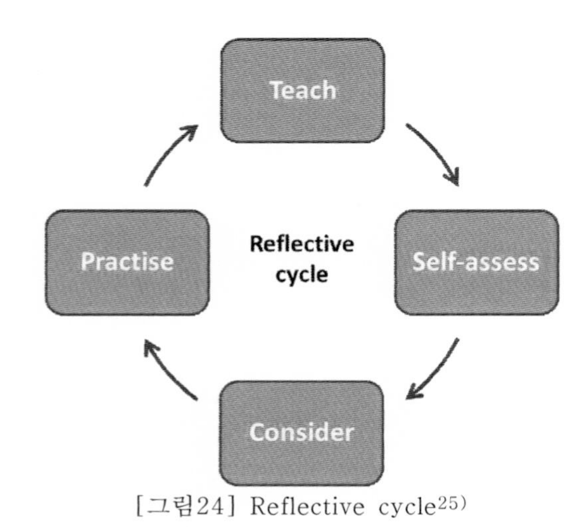

[그림24] Reflective cycle[25]

24) Newman, S. J. (1996). Reflection and teacher education. Journal of education for teaching, 22(3), 297–310.

Luttenberg, J., & Bergen, T. (2008). Teacher reflection: the development of a typology. Teachers and teaching, 14(5–6), 543–566.

25) http://mmiweb.org.uk/hull/1_hullpgce/assessment/ass_supp_secondary/reflection/models/model2.html

6. 끝을 맺으며

국내 몇몇 대학원 유학생들이 빨리 졸업하기 위해서 올바른 연구방향성과 연구단계를 거치지 않고 테크닉적인 측면으로 연구를 쉽게 접근하고 있다. 본 교재 마지막에 다시 한번 강조하지만 연구방법론을 테크닉 측면으로만 접근하면 퀄리티 높은 연구를 진행 할 수 없다. 또한, 방법론에 집중하는 그 자체가 학위논문의 연구 본질이 될 수 없다는 점을 강조하고 싶다.

이 책을 읽으면서 국내에 재학 중인 대학원 유학생들이 지금까지 본인이 해왔던 연구가 올바른 단계와 미래 방향성을 가진 논문인지 다시 성찰할 필요가 있다고 생각한다. 깊은 통찰력, 자기성찰, 비판적 사고를 통해서 본인 연구의 본질과 원리를 찾는 방법에 대해서 국내에서 유학하는 대학원생 스스로 깊이 생각해봐야 할 것이다.

마치 공장에서 찍어내는 듯한 학위논문이 아니라, 대학원 유학생 스스로 미래에 독립적인 연구자가 될 수 있도록, 그리고 올바른 연구 단계와 미래 방향성을 가진 논문을 작성할 수 있도록 해야 된다.

대학원 유학생의 깊은 사고와 비판적 성찰을 통해서 본인이 '알고 있다'라는 개념에 대한 인식론적인 변환이나, 전환이 절실히 필요하다고 생각한다. 선행연구 논문을 몇 편 읽었다고 그 분야가 본인 전문분야가 되지 않으며, 반드시 유학생으로서 직접 선행연구 정리를 제2언어를 사용해서 글로 작성한 다음에 실제 연구자료를 수집할 것을 강조한다.

국내 재학 중인 모든 대학원 유학생들이 질 높은 학위논문과 올바른 연구를 진행하길 바라며 이 책을 마친다.

참고문헌:

Aronowitz, S. (2012). Paulo Freire's radical democratic humanism: The fetish of method. *Counterpoints*, 422, 257-274.

Bartolome, L. (1994). Beyond the methods fetish: Toward a humanizing pedagogy. *Harvard educational review*, 64(2), 173-195.

Coady, M. R., Harper, C., & De Jong, E. J. (2016). Aiming for equity: Preparing mainstream teachers for inclusion or inclusive classrooms?. *TESOL Quarterly*, 50(2), 340-368.

Coady, M., Li, S., & Lopez, M. Twenty-five Years after the Florida Consent Decree: Does Preparing All Teachers for English Learners Work?. *Florida Association of Teacher Educators Journal*.

Creese, A. (2004). Bilingual teachers in mainstream secondary school classrooms: Using Turkish for curriculum learning. *International Journal of Bilingual Education and Bilingualism*, *7*(2-3), 189-203.

DeLyser, D. (2003). Teaching graduate students to write: A seminar for thesis and dissertation writers. *Journal of Geography in Higher Education*, *27*(2), 169-181.

de Jong, E. J., Naranjo, C., Li, S., & Ouzia, A. (2018, April). Beyond compliance: ESL faculty's perspectives on preparing general education faculty for ESL infusion. In The Educational Forum (Vol. 82, No. 2, pp. 174-190). Routledge.

Dearden, J. (2014). English as a medium of instruction–a growing global phenomenon. British Council.

Dellinger, A. B., Bobbett, J. J., Olivier, D. F., & Ellett, C. D. (2008). Measuring teachers' self–efficacy beliefs: Development and use of the TEBS–Self. *Teaching and teacher education*, 24(3), 751–766.

Donovan, M. S., Snow, C., & Daro, P. (2013). The SERP approach to problem–solving research, development, and implementation. *National Society for the Study of Education Yearbook*, 112(2), 400–425.

Ercikan, K., & Roth, W. M. (2014). Limits of generalizing in education research : Why criteria for research generalization should include population heterogeneity and users of knowledge claims. *Teachers College Record*, 116(5), 1–28.

Flores, B. B. (2001). Bilingual education teachers' beliefs and their relation to self–reported practices. *Bilingual Research Journal*, *25*(3), 275–299.

Gardner, S. K. (2009). The Development of Doctoral Students—Phases of Challenge and Support. ASHE Higher Education Report, Volume 34, Number 6. *ASHE higher education report*, *34*(6), 1–127.

Harris, K. R., & Graham, S. (1994). Constructivism: Principles, paradigms, and integration. *The journal of special education*, 28(3), 233–247.

He, J. J., & Chiang, S. Y. (2016). Challenges to English-medium instruction (EMI) for international students in China: A learners' perspective. *English Today*, 32(4), 63.

Karagiorgi, Y., & Symeou, L. (2005). Translating constructivism into instructional design: Potential and limitations. *Journal of Educational Technology & Society*, 8(1), 17-27.

Keat, R. (1980). The critique of positivism. British Sociological Association, University of Lancaster.

Kelly, G. J. (2012). Epistemology and educational research. In Handbook of complementary methods in education research (pp. 32-55). Taylor and Francis.

Lincoln, Y. S., & Guba, E. G. (2000). The only generalization is: There is no generalization. Case study method, 27-44.

Luttenberg, J., & Bergen, T. (2008). Teacher reflection: the development of a typology. *Teachers and teaching*, 14(5-6), 543-566.

Newman, S. J. (1996). Reflection and teacher education. *Journal of education for teaching*, 22(3), 297-310.

Niaz, M. (2008). A rationale for mixed methods (integrative) research programmes in education. *Journal of philosophy of education*, 42(2), 287-305.

Pendergast, D., Garvis, S., & Keogh, J. (2011). Pre-service student-teacher self-efficacy beliefs: An insight into the making of teachers. *Australian Journal of Teacher Education*, 36(12), 4.

Roberts, C. M. (2010). *The dissertation journey: A practical and comprehensive guide to planning, writing, and defending your dissertation*. Corwin Press.

Teddlie, C., & Tashakkori, A. (2009). Foundations of mixed methods research: Integrating quantitative and qualitative approaches in the social and behavioral sciences. Sage.

Tschannen-Moran, M., Hoy, A. W., & Hoy, W. K. (1998). Teacher efficacy: Its meaning and measure. *Review of educational research*, 68(2), 202-248.

Usher, E. L., & Pajares, F. (2008). Sources of self-efficacy in school: Critical review of the literature and future directions. *Review of educational research*, 78(4), 751-796.

Vogt, W. P., Gardner, D. C., Haeffele, L. M., & Vogt, E. R. (2014). Selecting the right analyses for your data: Quantitative, qualitative, and mixed methods. Guilford Publications.

Walker, G. (2008). Doctoral education in the United States of America. *Higher education in Europe*, *33*(1), 35-43.

Yoon, B. (2008). Uninvited guests: The influence of teachers' roles and pedagogies on the positioning of English language learners in the regular classroom. *American Educational Research Journal*, 45(2), 495-522.

□ 교재 집필에 도움을 주신 분들께 드리는 감사 편지

6년의 시간 동안 미국에서 유학생활을 하고 돌아온 필자에게 유학생활을 정리하는 책을 한권 출판해보는 것이 어떻겠냐고 늘 강조해서 말씀하셨던 부모님께 이 책을 바칩니다.

필자의 인생 멘토인 아버지 이경철 박사님(현, 한국산학기술학회 회장 : 교육학박사, 경영학박사, 사회복지학박사)과 어머니 김미숙 원장님께 항상 감사 인사를 드립니다.

여름방학 동안 필자의 부족한 책의 검토를 흔쾌히 맡아주신 서원대학교 영어교육과 조형숙 교수님께 깊은 감사를 드립니다.

부산대학교 김윤용 박사님(교육평가 전공)께도 감사의 인사를 드립니다.

마지막으로 필자의 연구조교 여열 선생에게 항상 고마움을 전합니다.

2021년 8월
연구실에서
이용직

□ 필자 약력

중앙대학교 영어학과 학사

미국) 인디애나 주립대학교 테솔(TESL) 전공 석사

미국) 플로리다 대학교 교육학 (Curriculum & Instruction) 박사

현) 우석대학교 일반대학원 교육학과 조교수

현) 한국산학기술학회 국제협력이사

초판 1쇄 인쇄 2021년 8월 02일
초판 1쇄 발행 2021년 8월 16일

저자 이용직
펴낸곳 비티타임즈
발행자번호 959406
주소 전북 전주시 서신동 780-2
대표전화 063 277 3557
팩스 063 277 3558
이메일 bpj3558@naver.com
ISBN 979-11-6345-304-8(13170)
가격 20,000원

이 도서의 국립중앙도서관 출판예정도서목록(CIP)은 서지정보유통지원시스템홈페이지(http://seoji.nl.go.kr)와국가자료공동목록시스템(http://www.nl.go.kr/kolisnet)에서 이용하실 수 있습니다.